ABRAHAM

LE SACRIFICE
IMPOSSIBLE

*Un grand merci à Marithé Davidson et Eva Grynszpan
pour leur confiance et leurs conseils. Merci aussi à Éric George,
pasteur de l'Église réformée de France, pour son ouverture
d'esprit et sa relecture de ce texte laïque.*

S.B.

Collection dirigée par Marie-Thérèse Davidson

© 2012, Editions Nathan, Sejer, 25 avenue Pierre de Coubertin, 75013 Paris
Loi n° 49-956 du 16 juillet 1949 sur les publications destinées à la jeunesse,
modifiée par la loi n° 2011-525 du 17 mai 2011.
ISBN 978-2-09-252982-9

ABRAHAM
LE SACRIFICE IMPOSSIBLE

Sylvie **Baussier**

Illustrations : Julie **Ricossé**
Dossier : Marie-Thérèse **Davidson**

Nathan

*Les * dans le texte renvoient au lexique en fin d'ouvrage.*

PROLOGUE

Abraham marche à grands pas, le visage fermé, un manteau jeté sur ses larges épaules. Il fait froid, mais l'ascension le réchauffe : le chemin n'en finit pas de s'élever dans la montagne. À sa ceinture se balance lc coutcau à longue lame destiné aux sacrifices*. Un enfant d'une dizaine d'années peine à le suivre, courbé sous le fagot de bois qu'il porte sur son dos. Tous deux se taisent. Alentour, le silence est total, comme si le monde entier retenait son souffle : pas un chant d'oiseau dans les buissons, pas le moindre soupir de vent.

Les voici au sommet. Abraham prend le fagot et s'agenouille pour disposer le bois en monticule. Puis, sans regarder le visage de l'enfant, il ligote ses membres frêles. Le garçon tremble mais ne se débat pas. Abraham tire son couteau de sa ceinture, lève lentement son bras armé au-dessus de l'enfant attaché. Sa main serre l'arme si fort que ses jointures blanchissent. Il va l'abattre et frapper…

Abraham se réveille en sursaut à ce moment précis. Il regarde autour de lui, affolé. Pas de couteau, pas d'enfant ligoté. C'était encore ce cauchemar. La nuit profonde l'entoure, il est dans sa tente, trempé de sueur. Tremblant d'horreur et de peur. Qui est ce garçon dont il n'a pas vu le visage ? Et comment lui, Abraham, dont le dieu* interdit les sacrifices humains, pourrait-il commettre un acte si barbare ? Il n'a aucune réponse à ces questions.

Depuis des années, tandis que les siens s'endorment paisiblement dans leur tente, il retarde l'heure de s'allonger. Il a si peur de retrouver ces images terribles qui hantent ses rêves depuis tant d'années. Ces images dont il ne comprend pas le sens.

CHAPITRE 1
QUE DISENT LES ÉTOILES ?

Des années plus tôt…

Un mince garçon de dix ans aux cheveux noirs est assis sur les remparts de la ville d'Ur. Il s'appelle Abraham. Les jambes dans le vide, il contemple le large fleuve dont les eaux bleues roulent en contrebas. Peu à peu le ciel se teinte de pourpre, puis de violet, et la nuit tombe. Une étoile apparaît, puis une autre, sur le velours sombre du ciel ; bientôt la voûte céleste est criblée de ces mystérieux points lumineux.

Une jolie fillette de sept ans se faufile sans bruit derrière Abraham. De longues nattes noires encadrent son visage ovale. Elle tient ses mains derrière son dos, comme une enfant sage, tout en arborant un sourire moqueur. Soudain elle entoure le garçon de ses bras et crie dans son oreille :

– Bouh ! Devine qui c'est !

Abraham sursaute, puis éclate de rire en voyant qui l'a ainsi tendrement ligoté : il adore Sarah, sa demi-sœur, fille de son père et d'une servante. Elle le suit partout, et il ne la repousse jamais. Abraham l'aide à grimper sur le parapet, à côté de lui. La voilà qui balance elle aussi ses jambes au-dessus du précipice, le visage levé vers les étoiles que son demi-frère contemple de nouveau. Elle murmure :

– Abraham, crois-tu que les étoiles soient des déesses ?

– Elles sont très belles, mais regarde, voici la lune qui se lève. Ne nous éclaire-t-elle pas encore plus nettement ?

– Alors, c'est elle la déesse ? demande Sarah.

– Je ne crois pas. Demain il fera jour, car le soleil nous éclaire bien plus fort que la lune.

– Donc c'est le…

– Non, non, la coupe Abraham en riant. Le soleil non plus n'est pas un dieu tout-puissant. Les nuages peuvent bien le masquer !

Il ajoute à mi-voix, dans une confidence qui ravit celle qui ne demande qu'à l'écouter :

– Lorsque j'étais petit, j'allais souvent voir un vieil

homme, une sorte de sage qui habitait près de chez nous. Tu es trop jeune pour t'en souvenir.

Sarah lui donne un coup de coude agacé, mais il poursuit :

– Il m'a ouvert les yeux. Grâce à lui, j'ai regardé les étoiles, la lune, le soleil, toutes ces forces étranges qui nous entourent. Et tu sais…

Il baisse la voix et avoue dans un souffle ce qu'il n'a encore jamais dit à personne :

– À mon avis, il y a un dieu qui a créé toutes les choses, les grandes et les petites, la terre et le ciel, le soleil et la lune… Un dieu puissant, si différent de nous qu'il est difficile à imaginer. Un dieu unique.

Abraham a un petit rire.

– Je sais qu'ici les gens croient en des idoles*. Mon père sculpte bien leurs effigies pour les vendre à prix d'or ! Mais je doute de la puissance de ces dieux et déesses à forme humaine. À vrai dire, non, je ne doute pas, je suis sûr qu'elles ne sont que des images sans vie. Je me demande pourquoi notre père leur accorde une telle importance !

Sarah ne répond rien. Elle tente de se représenter ce dieu dont vient de lui parler son demi-frère. Il a sûrement raison, mais c'est si difficile à imaginer !

Les deux enfants demeurent ainsi un long moment, chacun entourant ses genoux de ses mains. Puis Abraham ajoute :

– En tout cas, moi, je ne veux pas devenir sculpteur. Vivre dans les copeaux de l'atelier, au milieu de ces figures inanimées, quelle horreur... Notre frère Nakhor, lui, rêve de succéder à notre père. Cela suffira bien.

Le jeune garçon s'arrête quelques instants, puis reprend :

– Je veux devenir berger, comme Harân, notre frère aîné. Et parcourir le monde, comme notre famille avant que nous soyons nés, toi et moi et nos frères. D'ailleurs, je vais bientôt aider Harân et notre serviteur Éliézer de Damas à soigner nos moutons. Nous avons presque le même âge tous les trois, ce sera formidable de travailler ensemble !

– Je suis bien d'accord avec toi, dit simplement Sarah.

Au fond de son cœur, elle sent que son destin est lié à celui d'Abraham.

Peu à peu, tous deux plongent dans une longue rêverie peuplée de secrets projets d'avenir. Abraham en est brusquement tiré par une sensation d'obscurité. Il attrape Sarah par le bras en disant :

– Tu as vu comme il est tard ? Viens, il faut rentrer ! Nous allons nous faire gronder !

Ils reviennent en courant jusqu'à leur maison. Sarah se faufile près de sa mère, tandis qu'Abraham s'arrête devant l'atelier paternel.

Térah est en train de sculpter. Comme toujours.

L'enfant s'approche sans bruit de ce petit homme sec. Il sait qu'il ne faut pas parler au maître quand il manie la gouge et le burin : dans ces moments, le vieil artisan est comme seul au monde. Un léger sourire flotte sur ses lèvres minces, et il parle à ses sculptures, plus doucement qu'il n'a jamais parlé à ses propres enfants.

– Toi, bois dur et droit, tu caches une image d'Enki[1]. Je la vois déjà… Je vais la dégager, la libérer de toi… Viens, Enki, viens à moi…

Abraham regarde son père, à la fois fasciné par son habileté et gêné par cette manière de s'adresser à des statues inanimées.

Croit-il vraiment que des bouts de bois peuvent l'entendre ? Parle-t-il vraiment avec le dieu Enki ? Le jeune garçon secoue la tête. Bien sûr que non, cette statuette ne peut pas parler. Térah l'ignore peut-être, mais lui, Abraham, le sent. Tout à coup, le garçon, pris d'un doute, a envie d'essayer. Il se lève et s'avance au milieu des copeaux et des billes de bois. Il salue son père, qui le remarque à peine tant il est concentré. Puis il se prosterne devant une sculpture du dieu Enki déjà terminée et dit cérémonieusement :

– Salut, ô Enki.

Son père lève brusquement la tête, les sourcils froncés.

1. *Dieu mésopotamien de la sagesse, des arts et des techniques.*

– Que t'arrive-t-il, mon fils ?

– Eh bien je fais comme toi : je parle aux idoles. Est-ce qu'elles te répondent, parfois ?

Contre toute attente, le sculpteur éclate de rire :

– Voilà bien des enfantillages ! Ces statues ne te diront pas un seul mot, voyons...

– Alors pourquoi est-ce que toi, tu leur parles ?

– Je ne leur parle pas, je...

Térah se gratte la tête avec son burin, réfléchit quelques secondes, puis dit d'une voix lente :

– Sais-tu pourquoi je suis sculpteur ?

– Pas vraiment, père, répond Abraham, dont les yeux sombres s'agrandissent de curiosité.

– Il y a longtemps, ta mère et moi étions des nomades dans cette vaste contrée qu'est la Babylonie. De temps à autre, nous traversions de riches cités au bord du fleuve Euphrate. Et puis nous nous sommes lassés d'arpenter ces terres à la recherche de pâturages pour nos chèvres et nos moutons. Nous avions envie d'une maison où élever les enfants que nous allions avoir. Alors j'ai eu une idée.

– Laquelle ? demande Abraham en s'accroupissant pour écouter plus confortablement le récit.

– Je fabriquais de petites sculptures en gardant mes bêtes. C'étaient des moutons, des étoiles, des personnages. Et puis j'ai commencé à sculpter les dieux de cette contrée. Quand je les vendais sur les marchés, elles trouvaient toujours preneur. J'ai décidé d'en faire mon métier. Et de m'établir ici, à Ur. Mais je ne savais pas quel accueil nous réserverait le terrible Nemrod, qui règne sur cette cité.

– Et… vous a-t-il bien acceptés ?

– Deux jours après notre venue, il m'a convoqué dans son palais. Il était assis sur un trône d'or aussi massif que sa personne. Je me suis prosterné devant lui, prêt à entendre la pire sentence. Il m'a déclaré de sa voix de tonnerre : « Ta réputation t'a précédé, Térah le sculpteur. Sois le bienvenu dans ma cité. En échange de ma protection, je t'ordonne de me donner les plus beaux portraits de mes dieux. » Nous nous sommes donc installés ici, où vous êtes nés, toi, tes frères Harân et Nakhor et ta demi-sœur Sarah. Grâce à mon art, nous vivons confortablement, nous avons des serviteurs, des troupeaux qui paissent au-delà des remparts…

– Mais si tu ne crois pas dans ces dieux, réplique Abraham, pourquoi mets-tu tant d'ardeur à les sculpter ?

Térah saisit son burin et se met à peaufiner le visage d'Enki. De nouveau il semble absent. Il ne s'aperçoit même pas que son fils s'éloigne.

En chemin, Abraham se murmure à lui-même : « Non, vraiment, je ne serai pas sculpteur comme mon père. J'aurais honte de fabriquer des idoles auxquelles je ne crois pas. Même si cela me permet de gagner de l'or… »

Il lève les yeux. Les étoiles brillent dans le ciel d'une lueur magnifique. Oui, Abraham sent qu'il faut faire confiance à ce qu'il a dans le cœur.

CHAPITRE 2

ABRAHAM
CONTRE LES IDOLES

Edna refait la tresse de ses longs cheveux, qui s'est à demi dénouée pendant qu'elle portait l'eau du puits. Elle en profite pour observer avec fierté ses deux fils Harân et Abraham, qui reviennent ensemble des pâturages. Si semblables et différents à la fois ! Harân est un homme obéissant et sans histoires. Abraham, à seize ans, est lui aussi devenu un jeune homme aux larges épaules. Mais dans son désir de comprendre tout ce qui l'entoure, il se heurte souvent avec Térah, son père. Une ferme détermination se lit chaque jour un peu plus dans ses yeux noirs.

Edna se secoue : les deux jeunes gens sont revenus à temps pour le dîner familial. Elle va finir par être en retard pour les derniers préparatifs !

Dans la cour, Nakhor achève de faire griller un agneau. Milka et Yiska, les deux filles de Harân, font cuire des galettes, et Loth, son plus jeune fils, joue avec un bout de bois. Ils ont en commun le teint clair et les yeux d'un noir profond qui les distinguent des autres familles de la ville.

Le repas est prêt. Tous s'assoient autour du feu, sur des tapis posés à même le sol, et se partagent le plat d'agneau fumant. La brise fraîche du soir leur apporte les rumeurs des maisonnées environnantes. Térah mange silencieusement, les yeux dans le vague. Nakhor parle de sa journée dans l'atelier. Aujourd'hui il exulte : après quatre ans d'efforts acharnés, un léger souffle émane de ses sculptures. Pour la première fois, un riche client s'est attardé devant une petite figurine d'Ishtar[1] qu'il avait sculptée, et a taquiné Térah. Nakhor rapporte fièrement ses paroles flatteuses tout en découpant un morceau de viande grillée :

– Voilà ce qu'a dit cet homme, d'une voix si forte que tout le monde pouvait l'entendre de la rue : « Térah, ton fils est encore hésitant, son ciseau échappe parfois

_____

1. *Déesse mésopotamienne de l'amour et de la guerre.*

à sa main, mais un jour il fera aussi bien que toi… Mieux, peut-être ? »

Térah grimace, pris entre la peur de se voir surpassé et la fierté que lui inspire son grand fils. Pour changer de conversation, il lance à Abraham :

– Vous avez chacun votre métier maintenant, mes fils. Deux d'entre vous sont mariés. Mais toi, Abraham, quand vas-tu prendre femme ? Tes frères ont déjà des enfants, il est temps que tu suives leur exemple ! Ta mère et moi pensons depuis longtemps t'unir à Sarah, tu le sais. Qu'en dis-tu ?

Abraham songe parfois à cette question, mais il la repousse toujours à plus tard, tant ses réflexions sur le monde l'absorbent tout entier. Quand il croise Sarah dans la maison, il la traite en petite sœur, comme au temps de leurs rires, de leurs chamailleries et de leurs conversations sur les remparts. Mais il a des yeux, et, c'est indiscutable, Sarah est devenue une très belle jeune fille. Tandis qu'elle s'affaire à servir les dattes, il écoute les bracelets tinter sur ses bras fins comme si c'était la plus douce musique du monde. Les lueurs du feu se reflètent dans ses yeux en amande et avivent l'éclat de ses longs cheveux couleur aile-de-corbeau. Qu'elle est belle ! Sarah lui rend son doux regard sous ses paupières à demi baissées. Abraham sent son cœur battre d'une façon nouvelle. Il a envie de soulever la jeune fille dans ses bras, de sentir le parfum de sa peau. Saisi par une évidence, il répond à Térah :

– Père, je serai heureux de prendre Sarah pour femme, si elle veut bien de moi.

Des rires fusent. Tous savent combien la jeune fille aime Abraham : les regards ardents qu'elle pose sur le jeune homme en disent plus long que sa bouche !

Deux ans plus tard...

Un soir, au cours du dîner qui rassemble tous les jours la famille entière, Abraham est assis dans la cour tiède auprès de Sarah, sa belle épouse. Loth, le fils de Harân, arrive couvert de poussière après une journée de courses-poursuites avec les garçons du voisinage dans les rues d'Ur. Il vient se glisser près de son oncle, s'allonge à demi, avale trois bouchées et se met à somnoler. Abraham pose délicatement la tête de son neveu sur ses genoux. Puis, sans déranger Loth, il dépose des oignons frits dans son écuelle de bois. Térah son père raconte son travail avec enthousiasme :

– Je vous le dis : Ishtar va bientôt apparaître d'un cœur de chêne. Je n'ai jamais créé de sculpture aussi belle. On dirait qu'elle va parler tant elle semble vivante. Elle va nous rapporter beaucoup d'or.

Abraham sait que son père est un grand artiste. Mais son inquiétude est ailleurs. La question qu'il a posée quand il avait dix ans n'a toujours pas trouvé de réponse claire. Au risque d'éveiller la colère paternelle, il demande :

– Père, j'ai bien réfléchi. Crois-tu vraiment que ces dieux existent ? Et que leur esprit descende dans tes statues ?

– Qu'importe ce que je crois ? demande le vieil homme, une lueur d'exaspération dans les yeux. Mon art nous fait vivre dans l'abondance, cela ne te suffit-il pas ?

Nakhor chuchote à son frère :

– Arrête de parler ainsi ! Si on nous entendait ? Nos voisins ne supportent pas qu'on se moque de leurs dieux, tu le sais ! Veux-tu que nous soyons chassés de la ville ? (Il réfléchit un moment, puis ajoute fermement :) Moi, je veux rester ici et devenir un grand sculpteur, comme notre père. Alors ne te mets pas en travers de mon chemin, frère.

Les conversations et les rires se sont arrêtés. Abraham pousse un gros soupir et mâche furieusement un bout de pain pour lutter contre son envie de discuter encore. Il s'en veut de contrarier sa famille, qu'il chérit tant. Edna, sa mère, se désole. Comment pourrait-elle empêcher son fils de dire tout haut ce qu'il pense ? Et surtout pourra-t-elle l'empêcher de penser de façon si différente ?

Petits et grands sont partis se coucher tristement. Abraham écoute les bruits de la ville endormie.

Des ronflements se répondent ici et là, dans la nuit de plein été : beaucoup de citadins installent leur couche dans les cours pour profiter d'un peu d'air frais. Le jeune homme est incapable de dormir. Levant les yeux, il s'émerveille comme chaque fois de ce tapis d'étoiles qui enchante la nuit. Comment Ishtar la belle, Enki le rusé, Enlil[1] le coléreux et les autres divinités si humaines auraient-ils pu créer pareille merveille ?

Il hésite, puis se lève sans bruit. Il reste un instant immobile, aux aguets : sa famille dort. Il se glisse dans l'atelier de son père et observe. Toutes ces statues ! Ishtar est presque dégagée de son bloc de bois, comme l'a annoncé son père lors du repas. Un demi-sourire épanouit ses lèvres charnues, on dirait qu'elle va parler... « Parler ? Allons donc ! » pense Abraham en haussant les épaules et en levant la main comme pour frapper...

Le lendemain, Térah quitte la maison avant l'aube, emportant une représentation d'Enki qu'il a déposée la veille près de sa couche, protégée de chiffons : il doit la livrer à l'un de ses riches clients qui habite une cité voisine. À son retour, quand le soleil décline, il pénètre dans son atelier, très content du bon prix qu'il a tiré de sa vente... et s'arrête sur le seuil, cloué d'horreur :

1. *Roi des dieux de Mésopotamie.*

ses statues sont par terre, brisées, les membres épars, sauf celle d'Ishtar, qui domine la scène.

Le sculpteur entre dans une rage folle.

– Qui a fait ça ? Qui a osé ? hurle-t-il.

Abraham sort de l'ombre et affirme, en s'empêchant de rire :

– Père, j'ai tout vu : Ishtar s'est mise en colère contre les autres dieux, et elle les a renversés sans pitié.

Les mains sur les hanches, le vieil homme toise son fils du regard et crache :

– Allons donc, me prendrais-tu pour un idiot ? Est-ce que des bouts de bois sont capables de mouvement ?

Abraham est allé trop loin pour reculer maintenant, lui qui a saccagé l'atelier de ses mains. Il se dresse de toute sa taille et affronte son père :

– Père, ne cesses-tu pas d'affirmer que ces statues renferment l'esprit des dieux ?

– Oui, enfin non… Ah, et puis laisse-moi ! Je n'en sais rien, et je m'en moque.

Mais Abraham insiste :

– Pourquoi vends-tu ces idoles ? Tu ne sais même pas si tu y crois !

Tout en relevant avec amour l'un des corps de bois, le sculpteur s'écrie :

– Fils, mon art me passionne, et puis il nous fait vivre. Cela ne te suffit-il pas ? Ne peux-tu fermer ta bouche ?

– Ma bouche et mon cœur ne savent dire que ma vérité, répond Abraham. Je crois qu'il existe un Dieu unique, qu'on ne peut pas figurer sous des traits humains.

Et il sort de l'atelier.

La destruction des idoles est bientôt connue de toute la ville ; quelques clients sont repartis de l'atelier sans leur commande, détruite. Le bruit court qu'un membre de la famille de Térah n'a pas respecté les dieux de la cité. En quelques jours, on ne parle plus que de cela. Bientôt la foule s'amasse autour de la maison et gronde. Deux nuits d'affilée, des pierres sont jetées contre les murs. La troisième nuit, Harân fait le guet dans la rue : il ne supporte plus de voir leur père passer de son atelier à la maison, enfermé en lui-même, comme ignorant de la rumeur qui monte. Abraham est allongé dans la cour, les yeux grands ouverts, quand il entend des hurlements dehors :

– Attrapez-le !

– Jetons-lui des pierres !

– Non, pitié…

Cette dernière voix est celle de Harân ! D'un bond, Abraham est sur pied. Il se précipite, le cœur battant. Mais quand il jaillit au-dehors, son frère est déjà à terre. Du sang s'écoule d'une blessure sur son front. La foule s'est reculée et fait cercle autour de lui, hésitante, presque surprise par sa propre violence. Harân dit dans un souffle :

– Prends soin de Loth… Il est encore si jeune…

Son corps se raidit dans les bras d'Abraham, qui ne sent pas les larmes couler sur ses joues et murmure, impuissant :

– Mon frère, ne me laisse pas…

La foule émerge de sa stupeur et gronde de nouveau. On entend des hommes crier :

– Partez, étrangers ! Vous avez profané nos dieux !

– Quittez notre ville !

Des soldats de Nemrod approchent à leur tour. Leur chef apostrophe Térah, qui est sorti et contemple d'un air incrédule le corps sans vie de son fils :

– Sculpteur, pars de cette cité avant l'aube ! Tu n'es plus digne de la protection de notre roi. Nemrod en a décidé ainsi. Ton fils Nakhor peut rester : il prendra ta succession. Il n'a jamais offensé nos dieux, c'est ce qu'on nous a dit. Et ses mains font mieux que les tiennes désormais.

Térah serre les poings, meurtri dans sa chair et dans sa dignité. Il ne peut rien face à la population d'Ur, et à son redoutable chef. Il ne peut que sauver sa famille, y compris Abraham, ce fils rebelle qui a déclenché le désastre.

La nuit même, Térah fait enterrer Harân à la limite

de la cité. Toute la famille se rassemble autour de lui et l'écoute prendre la parole :

– Mes enfants, nous devons partir, Nemrod le veut. Edna, Abraham, Sarah, nous quitterons cette ville à l'aube.

Abraham consulte Sarah du regard, puis déclare :

– Père, nous souhaitons emmener Loth avec nous. Juste avant de mourir, mon pauvre frère m'a demandé de protéger son fils. Je le traiterai comme s'il était mon enfant. Et puisque sa mère retourne dans sa famille…

Mais Loth, en larmes, se met à hurler :

– Si tu n'avais pas cassé les sculptures, mon père vivrait encore. Tu ne pourras jamais le remplacer !

– Moi aussi j'aimais ton père, dit doucement Abraham en prenant Loth par les épaules. Moi aussi je suis terriblement triste.

Alors le jeune garçon s'abandonne dans les bras de cet homme qu'il aime et déteste à la fois.

Rapidement, Abraham et Éliézer, le serviteur, rassemblent les moutons, les chèvres, quelques vêtements et des outils. Ceux qui restent et ceux qui partent s'étreignent tendrement, et le petit convoi s'ébranle, tournant le dos au soleil levant. Ils savent qu'ils marchent vers des terres hasardeuses, parfois fertiles, parfois arides, selon les routes qu'ils prendront. Les voilà redevenus nomades.

– Notre maison, c'est le monde, ma princesse, murmure Abraham à sa femme.

Sarah tient par la main le jeune Loth, dont le père gît sous la terre de cette ville qu'ils quittent à jamais. Désormais, cet enfant sera comme le leur. Et – Abraham et Sarah l'espèrent de tout leur cœur – bientôt, Sarah enfantera et agrandira cette famille naissante. Bientôt.

CHAPITRE 3
DE L'EAU !

Edna et Térah connaissent bien les plaines qui longent le fleuve Euphrate. Ils les ont parcourues au temps de leur jeunesse, et l'expérience qu'ils ont acquise à cette époque leur revient vite en mémoire. Ils savent trouver les plantes comestibles, choisir les berges sûres où troupeaux et humains peuvent se désaltérer, et faire cuire le pain sous le sable.

Peu à peu, tous s'habituent aux fatigues d'une vie sans maison. Éliézer apprend en même temps que son ami Abraham les techniques des peuples nomades. Térah leur enseigne comment se repérer selon la courbe du fleuve, la course du soleil ou la position des étoiles.

Abraham chemine souvent à l'écart. Les siens ont été jetés sur les routes parce qu'il a détruit les sculptures des idoles. Mais il ne pouvait pas agir autrement : il devait être fidèle au dieu unique qui vit en son cœur et dont la force le dépasse. Pourtant comme les conséquences ont été terribles ! Il voudrait encore entendre la voix enjouée de Harân, qui s'est tue pour toujours. Il voudrait voir Nakhor vaquer dans cette maison qu'il ne reverra sans doute jamais. Rien de tout cela n'est possible.

Loth marche derrière, en traînant des pieds. Quant à Térah, en dehors des moments où il transmet son savoir d'ancien nomade, il se mure dans le silence et, sans ses outils de sculpteur, il semble amputé d'une part de lui-même.

Malgré toutes les souffrances qui planent sur le groupe, Abraham émerge de plus en plus souvent de ses pensées amères pour regarder autour de lui, et il est ébloui par la beauté de ces étendues immenses, qu'il parcourt librement. Et par celle de sa femme, dont la présence illumine sa vie.

Un matin, il saisit Sarah par les épaules et la fait tourner sur elle-même. Son regard scintille sous ses épais sourcils.

– Que remarques-tu, mon aimée ?

– Je vois loin…

– Jusqu'à l'horizon, oui, au nord, à l'est, au sud, à l'ouest ! Ne sommes-nous pas plus libres ici que dans la ville ?

Sarah acquiesce, ses bracelets tintent comme naguère et ses yeux brillent quand elle regarde son époux.

Maintenant c'est Abraham qui tourne sur lui-même, bras écartés. Il s'exclame :

– Ici les hommes savent qu'ils sont petits. Je me sens plus près des étoiles, du soleil, de l'eau du fleuve, et du dieu unique qui a créé toutes ces merveilles.

Comme presque toutes les nuits, le jeune Loth gémit dans son sommeil. Il crie : « Père, où es-tu ? » Sarah se lève pour éponger son front couvert de sueur et le bercer comme s'il était encore un tout petit garçon. Abraham devine dans la pénombre de la tente le corps mince de sa bien-aimée enveloppant Loth de sa chaleur. La berceuse qu'elle lui murmure le plonge dans un rêve… Il aimerait tant qu'elle lui donne bientôt un enfant… Puis un deuxième… Et un autre encore… Abraham se sent une âme de père ! Quand le ventre de sa femme commencera-t-il à s'arrondir ?

Durant des mois, Abraham et les siens suivent l'Euphrate, puis l'un de ses affluents. Le long des rives, des paysans ensemencent les champs, que l'eau rend fertiles. La famille remonte toujours plus vers le nord-ouest.

Il faut maintenant épargner Térah, dont les forces déclinent. À l'heure la plus chaude, la pénombre des murs de brique crue manque cruellement. Chaque jour, Abraham dresse un abri de tissu pour faire écran au soleil brûlant. Il installe d'abord son père, puis tous se reposent là, pantelants, avides d'une fraîcheur qui ne viendra qu'au crépuscule. Depuis le départ d'Ur, Térah s'est amaigri. Au cours d'une de ces haltes en pleine chaleur, il se confie au seul fils qui reste à ses côtés :

– Abraham, je ne peux continuer ainsi. Quand je marche, j'imagine sans cesse de nouveaux visages qui se dégagent du bois ou de la pierre. Je suis sculpteur au plus profond de moi.

– Que veux-tu, père ? demande Abraham.

– Nous ne sommes plus loin de Harran, la grande cité du Nord ; mène-moi jusque-là. Si j'ai assez de forces, je m'y installerai et je sculpterai de nouveau. Sinon, j'y mourrai. Toi, guide notre famille, je t'en nomme le chef.

– Je ferai selon ton désir, père, répond le jeune homme en inclinant la tête.

La caravane parcourt encore un long chemin, s'éloignant parfois du fleuve pour s'étirer parmi les collines sèches et les plaines sableuses où l'eau est trop rare pour le troupeau. Peu à peu, la grande cité apparaît à l'horizon puis grandit à leurs yeux. Alors qu'ils campent sous les murs de Harran, le visage du vieux Térah s'apaise.

Dès le lendemain, ses forces l'abandonnent et il s'éteint doucement, entouré des siens. Sa famille l'enterre près de cette cité où, sans doute, plus d'un homme riche possède une de ses magnifiques statues d'Ishtar ou d'Enki.

Abraham a le cœur fendu de chagrin. Faut-il rester là, ou poursuivre le voyage ? La réponse à cette question lui vient de façon étrange, tandis qu'il contemple, assis par terre, les remparts de cette ville qui ressemble à celle où il a grandi.

Soudain, venant on ne sait d'où, jaillit une voix que lui seul entend. Il la perçoit ample comme le monde, profonde comme le ciel. Elle lui dit : « Va-t'en vers le pays de Canaan. Je bénirai ceux qui te béniront, et maudirai quiconque te maudira. »

Alors Abraham se lève. Il rassemble sa femme, Loth, Éliézer, et leur déclare :

– Prenez vos biens et vos bêtes, nous partons !

Il a parlé d'une voix forte et douce, dans laquelle ne plane aucun doute. La voix d'un chef.

Le groupe descend vers le sud-ouest. L'eau devient rare et le paysage se fait plus désertique. Au bout de quelques semaines ils retrouvent l'Euphrate, qui dessine une large boucle. Ils sont contents de se désaltérer, se laver, laisser chèvres et moutons s'abreuver. Puis ils traversent le fleuve à gué pour se diriger vers le pays de Canaan, au sud. Sur la rive d'en face, un groupe d'inconnus les attend. Un vieillard voûté, deux hommes et deux femmes avec des enfants, un petit troupeau… Loth à ses côtés, Sarah observe ces étrangers avec curiosité. Abraham, dont la barbe noire arrive maintenant au milieu du cou, s'approche des nouveaux venus et les salue. Le plus âgé prend la parole :

– Tu es bien Abraham ?

– C'est mon nom, en effet.

– Nous souhaitons nous joindre à vous, si vous le voulez bien.

– À deux familles, nous serons plus forts, c'est vrai. Mais pourquoi venez-vous ainsi vers nous ?

– Le bruit de la mort de ton frère et de votre départ d'Ur a couru dans les cités. Et surtout, le bruit de ta foi en un dieu unique, un dieu de justice. N'est-ce pas pour cela que tu as détruit les idoles ? Permets-nous de suivre ton chemin.

Abraham se tourne vers les siens, qui acquiescent, puis déclare solennellement :

– Soyez les bienvenus.

Ces mots, Abraham va les répéter plusieurs fois au fil des semaines, car à plusieurs reprises, de petits groupes les rejoignent, tenant tous à peu près le même discours. Abraham doit assumer le rôle de chef que son père lui a assigné. Et il découvre que ce n'est pas toujours facile : plus le clan s'agrandit, et plus les occasions de querelles se multiplient. Or ils sont maintenant une bonne centaine... L'un n'a pas assez à manger ? Abraham demande aux autres de partager leur repas avec lui. Deux familles se disputent une agnelle ? Il fait chercher dans les environs, et l'on découvre l'autre agnelle, qui s'était égarée. Tous écoutent Abraham, car il sait être attentif, sage, et juste à l'égard de chacun.

Le soir, il s'éloigne et prie seul, la tête tournée vers les étoiles. Les étoiles, création de Dieu, lumières dans les ténèbres... Quand il s'endort enfin, bien après les autres, il se sent en harmonie avec le monde. Pourtant il se réveille en sueur, trempé d'effroi : comme souvent depuis qu'a débuté leur vie nomade, il rêve qu'il marche avec un enfant. Toujours le même cauchemar qui le terrifie. Ils gravissent une montagne. Puis tous deux s'arrêtent, Abraham lève un grand couteau de sacrifice sur cet enfant et... il se réveille, horrifié. Sarah n'ose pas interroger son mari, si secret ; elle se contente de le bercer comme elle le fait avec Loth, comme elle le ferait avec son enfant, si seulement elle pouvait en concevoir un.

Enfin ils parviennent au pays de Canaan. À la chaleur qui emplit tout son être, Abraham comprend qu'il a bien atteint le pays que Dieu lui a promis. Il s'agenouille et contemple ce qui l'entoure : tout près, les siens plantent des tiges de bois et y fixent les pans de tissu qui forment leurs tentes. Plus loin, un chêne si massif, si vénérable qu'il a peut-être vu se succéder les siècles. Ils sont arrivés chez eux ! Plein de reconnaissance envers ce Dieu qui l'a choisi et le protège, il appelle quelques hommes.

– Aidez-moi à déplacer cette grosse pierre, et aussi celle-ci !

– Pourquoi, Abraham ?

– Je veux construire un autel pour Celui qui nous a guidés jusqu'ici. Dans ce pays où nous pourrons nous installer, enfin.

Ses compagnons sentent la force qui émane de leur chef en cet instant. Ensemble, au pied de ce chêne magnifique, Abraham et les siens construisent un simple autel de pierre en l'honneur de Dieu. Ensemble, ils prient et remercient.

Mais au fur et à mesure qu'on entre dans l'été, la chaleur devient insupportable. Sarah se fait aider par Tamah, une jeune fille dont la famille s'est récemment jointe au groupe. Mais où trouver de l'eau ? Les puits sont quasiment à sec, ce qui n'arrive jamais, affirment les nomades qu'ils croisent. En attendant les pluies porteuses de vie, Abraham décide de mener la tribu en Égypte, ce grenier à blé que les crues du Nil fertilisent chaque année. Le voyage n'est pas fini…

CHAPITRE 4

MALHEURS ET RICHESSES EN ÉGYPTE

L e groupe reprend son errance. Sable, cailloux, pierres, buissons, la beauté sauvage du paysage ne fait plus oublier les langues gonflées par la soif, les estomacs tiraillés par la faim. Les brebis n'ont plus de lait. Quelques agneaux épuisés se sont écroulés dans la poussière. La tribu en mange quelques-uns, des bergers en chargent d'autres sur leur dos, mais il est impossible de transporter ainsi tout un troupeau ! Quand on aperçoit au loin une immense étendue liquide, c'est la mer, dont l'eau salée est imbuvable. Cela rend encore plus insupportable la vue de tout ce liquide bleu dans lequel chacun voudrait s'abreuver. Une seule solution : marcher toujours plus loin vers le sud, jusqu'à ce pays qui ne souffre jamais de la soif grâce au Nil, son fleuve immense. Abraham en a entendu parler par de nombreux nomades. C'est le seul espoir de survie pour les siens.

Chacun puise dans ses dernières forces pour traverser le désert du Néguev, implacable étendue de sable. Sans s'épargner, Abraham va d'un compagnon à l'autre, inlassablement. Il trouve un mot d'encouragement pour une femme qui trébuche, un homme qui vient de perdre une bête, un enfant qui pleure.

Après une longue semaine de souffrances, dans un air sec qui ne promet pas la moindre averse, le delta du Nil se profile enfin, avec ses bras d'eau à perte de vue. Abraham pousse un soupir de soulagement. Les plus faibles n'auraient pas pu continuer un jour de plus. La longue file d'hommes, de femmes, d'enfants, suivie du troupeau amaigri, atteint enfin la berge la plus proche. Dès qu'ils perçoivent l'odeur de l'eau, les moutons dressent la tête. L'un d'eux se précipite, et tous les autres le suivent en bêlant. Les bergers tentent de remettre un peu d'ordre dans la bousculade. Sans succès. Aussitôt les chèvres se mêlent à la pagaille, s'enfonçant parfois dans la rive boueuse avant d'accéder au fleuve qui sort de son lit, car c'est le début de la crue annuelle. Les hommes et les femmes n'ont guère plus de patience que leurs animaux. Les servantes s'agenouillent pour remplir leurs outres d'une eau un peu trouble, mais plus précieuse que de l'or. Abraham est fier d'avoir pu les sauver tous. Souriant, ce chef dans la force de l'âge observe sa grande tribu qui reprend vie.

Les hommes dressent le camp de tentes à la lisière d'un pré où les bêtes, une fois abreuvées et calmées, broutent enfin de l'herbe tendre.

Abraham s'apprête à rejoindre Sarah pour lui dire sa joie. Mais il la contemple, occupée à cuire le pain, et son cœur se serre soudain. Comme elle est belle ! Les hommes de la tribu respectent la femme de leur chef, pour rien au monde ils ne porteraient la main sur elle. Mais pourquoi les Égyptiens seraient-ils aussi respectueux ? Et si un prétendant égyptien trop audacieux voulait assassiner Abraham pour libérer Sarah de son mariage, et se l'approprier ? Abraham s'approche de sa femme et lui murmure :

– Si un Égyptien te demande qui tu es, réponds que tu es ma sœur.

– Pourquoi donc ? Ne suis-je pas ta femme ?

– Tu l'es, mais si tu le dévoiles à ces étrangers, j'ai peur que ma vie soit en danger… Les autres hommes ne voient-ils pas ce que voient mes yeux ? Tes longs cils et tes cheveux noirs, ta taille souple, ta démarche de reine… Les années n'ont pas prise sur toi. Elles glissent sur ta peau sans y inscrire la moindre ride. Qui ne voudrait de ce trésor ?

Sarah fronce les sourcils en signe d'incompréhension, mais elle répond :

– Soit, je ferai ce que tu me demandes.

Un peu soulagé, Abraham se place à l'écart du camp et se met en prière. Il remercie Dieu d'avoir sauvé son peuple de la famine. Mais pour la première fois, il ne sent pas la chaleur qui l'emplit d'habitude quand il s'adresse à l'Éternel. C'est comme s'il était seul. A-t-il fait quelque chose que Dieu réprouverait ?

Une autre source d'inquiétude lui fait presque aussitôt oublier celle-là : sur le bras du Nil le plus proche glissent vers eux trois barques légères, sur lesquelles des jeunes gens regardent avec insistance les nouveaux venus. Ces Égyptiens sont vêtus d'un pagne de lin blanc et fin ; de larges colliers d'or et de lapis-lazuli d'un bleu éclatant ornent leur cou, et des bracelets assortis, leurs poignets. Ils reviennent d'une fructueuse chasse au canard dans les eaux du delta : du gibier s'entasse au fond des embarcations.

– Des nobles, sans aucun doute, murmure Abraham pour lui-même, et il s'approche de la rive pour les saluer.

Quelques femmes, dont Sarah, sont déjà retournées près de la rivière, où elles se rafraîchissent avec délice.

Elles rient, s'apostrophent : depuis que la soif s'est enfuie, l'atmosphère est redevenue joyeuse. Et cette animation rehausse encore la beauté de Sarah. Le plus âgé des Égyptiens dit à Abraham, en guise de salut :

– Sois le bienvenu, étranger ! Et les tiens avec toi !

– Qui es-tu ? demande un autre chasseur en fixant Sarah.

– Je suis la sœur de notre chef, affirme-t-elle.

– Tu es bien belle, remarque l'Égyptien qui a parlé en premier. Digne de Pharaon[1], en vérité ! Allons lui annoncer la venue d'une telle beauté ! Je gage qu'il voudra la voir, annonce-t-il en se tournant de nouveau vers Abraham. Il réside justement près d'ici en ce moment, pour profiter des plaisirs de la chasse.

Et tous les trois s'éloignent sans bruit sur les eaux.

– Digne de Pharaon, répète Abraham à voix basse. Quel terrible malheur !

Au bout de quelques jours, dès que la tribu a repris des forces, elle chemine un peu plus vers le sud, suivant le cours du Nil.

Au loin, une haute bâtisse impose son ombre impénétrable, à l'heure où pourtant le soleil frappe de toutes ses forces : « C'est l'un des temples où les Égyptiens adorent leurs dieux étranges, qui revêtent

---

1. *Nom utilisé pour désigner les rois de l'Égypte ancienne.*

des formes animales. Aussi faux, aussi immobiles que les dieux de la cité d'Ur », se dit Abraham qui se remémore aussitôt la façon dont il a détruit les sculptures de son père. Et comment son frère l'a payé de sa vie. S'il s'en prenait maintenant aux figures des dieux d'Égypte, c'est certain, il n'en sortirait pas vivant !

Abraham en est là de ses réflexions quand les hautes portes livrent passage à un groupe de prêtres vêtus de blanc et à quelques hommes richement parés parmi lesquels se trouvent les trois chasseurs croisés quelques jours plus tôt sur le Nil. « Sans doute des princes », pense Abraham, qui sent une sueur froide perler sur son front. Ils encadrent un homme aux yeux cernés de khôl, portant une étrange couronne rouge et blanc sur la tête, comme Abraham n'en a jamais vu. Cet homme s'apprête à monter dans une chaise couverte, autour de laquelle attendent quatre porteurs, lorsqu'un des princes s'approche de lui, se courbe et murmure :

– Voici les étrangers dont je t'ai parlé, Pharaon.

Il fouille un moment la tribu des yeux, une main en visière pour se protéger de la lumière de midi, et trouve enfin Sarah, debout à côté d'Abraham.

– Et là, cette femme hors du commun.

Pharaon fait quelques pas pour s'adresser à elle :

– Qui es-tu ?

– Je suis la sœur de notre chef, affirme encore Sarah, fidèle à sa promesse.

– Je suis sûr que tu me la donnerais en signe de paix, toi qui viens fouler ma terre, déclare Pharaon à Abraham.

Le ton est sans appel...

Incapable de proférer un son, Abraham incline la tête. L'un des Égyptiens s'approche alors et prend Sarah par la main. On entend des murmures dans le clan, mais personne n'ose s'opposer au chef si respecté. S'il accepte, il doit savoir ce qu'il fait.

Pharaon aide Sarah à monter avec lui dans sa chaise couverte que soulèvent aussitôt les quatre porteurs. Les princes suivent sur des ânes. Les portes du temple se referment derrière les prêtres.

Alors Abraham tombe à genoux, terrassé. Pharaon, puissant roi d'Égypte, va épouser Sarah, c'est certain. Mais elle sera juste une de ses concubines, alors que pour lui, elle est la vie même ! Et il n'a rien fait pour empêcher cette horreur !

Éliézer s'approche de son maître et lui presse l'épaule, tentant de lui insuffler courage. Après un long silence, Abraham lui avoue :

– Tout est ma faute. J'ai demandé à Sarah d'affirmer qu'elle était ma sœur. J'ai fabriqué mon malheur et le sien. Je n'ai pas cru en la bonté des hommes de ce pays ni en la protection de l'Éternel !

– De quoi avais-tu peur ?

– Qu'ils me tuent pour prendre ma femme !

Loth, qui tendait l'oreille, a entendu les paroles d'Abraham. Le jeune homme s'approche et lâche :

– Décidément, tu fais le malheur de ta famille ! Mon père, et maintenant Sarah. Pourquoi ? Pourquoi gâches-tu ce que t'offre la vie ? Moi, je ne ferai pas comme toi : je protégerai la femme que je viens d'épouser, et nos enfants !

Et il s'enfuit en cachant mal ses larmes de rage.

Dès le lendemain, le malheur d'Abraham prend des formes somptueuses : Pharaon fait envoyer à la tribu des vaches, des moutons, des ânes et des chameaux, des serviteurs et des servantes, pour prix de la belle femme qu'il a choisie.

Mais rapidement, au palais de Pharaon, les épouses et les servantes tombent malades, les enfants ne mangent plus et dépérissent. Pharaon convoque ses mages et leur demande :

– Que se passe-t-il ? Pourquoi mes femmes, mes enfants et mes servantes souffrent-ils ainsi ?

Les mages craignent la fureur de leur maître, mais ils osent cependant avouer :

– Nous ignorons la raison de ce fléau, ô Pharaon.

– Est-ce à cause de Sarah, la femme étrangère ? C'est la seule au palais à rester en parfaite santé. Pourtant, quelle faute ai-je commise ? Je me suis assuré qu'elle n'appartenait à aucun homme, je couvre sa tribu de richesses...

Le mal empire de jour en jour, et les mages ne trouvent aucun remède capable de l'arrêter. Pharaon finit par demander, à contrecœur :

– Amenez-moi le chef de la tribu étrangère, le frère de Sarah.

Des serviteurs courent au campement et prient fermement Abraham de les accompagner. Il monte à son tour dans une chaise à porteurs et n'en descend que pour traverser un jardin de rêve entouré de hauts murs, où des fontaines rafraîchissent l'atmosphère étouffante. On le conduit jusqu'à l'immense salle de réception du palais, au milieu d'innombrables colonnes peintes de motifs floraux.

Pharaon l'observe sévèrement avant de l'interroger :

– Cette femme qui est chez moi, est-elle vraiment ta sœur ? Elle n'a pas encore pris place dans mon harem. Je la traite avec égard, comme une princesse étrangère. Réponds-moi : pourquoi tous ces malheurs s'abattent-ils sur ma famille ? Mes mages ne trouvent aucune réponse !

Abraham baisse les yeux et avoue dans un murmure :

– Sarah est ma sœur, mais elle est aussi ma femme...

Pharaon se lève de son trône, pâle d'indignation.

– Ta femme ! Pourquoi m'as-tu trompé, lâche

menteur ? Reprends-la, et quitte mon pays avec ton peuple ! Je vous couvrirai de richesses pour prix de mon erreur, mais que je ne vous revoie jamais ! Soldats, reconduisez cet homme.

Au sortir du palais, Abraham découvre Sarah qui l'attend, silencieuse. Pas un reproche ne s'échappe de ses lèvres, mais ses yeux sont encore plus sombres que d'habitude. Abraham lui demande pardon avec humilité. Puis les deux époux sont ramenés à leur campement par des serviteurs de Pharaon.

Quelques heures plus tard, alors qu'il s'active aux préparatifs de départ, Abraham s'accable lui-même en pensée : « J'ai poussé Pharaon à cette faute, par peur pour ma vie. Dieu nous a sauvés malgré tout. J'ai compris la leçon : seule une confiance absolue en Lui peut me mener dans la juste voie. »

CHAPITRE 5

PAYS DE RÊVE,
PAYS DE CAUCHEMAR?

L a tribu s'ébranle le lendemain, au petit jour. Elle reprend le chemin de l'est, vers Canaan, puisque c'est le pays que Dieu a promis à Abraham. Il faut retraverser le désert du Néguev, mais cette fois les troupeaux sont reposés, les hommes ont repris des forces et les outres sont pleines de l'eau du Nil : tous savent que le retour sera moins pénible que l'aller, quand la famine avait failli décimer la troupe.

La caravane s'étend sur plusieurs centaines de mètres, car elle s'est enrichie des serviteurs et des servantes que Pharaon a offerts à Abraham, sans compter les troupeaux. Sarah a jeté son dévolu sur Agar, une jeune Égyptienne au teint mat, pleine de vivacité, pour les aider, Tamah et elle, dans les tâches quotidiennes.

Agar reste généralement silencieuse, mais elle sait écouter : chaque jour, elle apprend de nouveaux mots dans la langue de ses compagnons. Elle se montre toujours de bonne volonté lorsque Sarah lui commande d'aller chercher de l'eau ou de l'aider à cuire le pain.

Au sortir du désert du Néguev, tous s'arrêtent pour contempler le paysage plus clément du pays de Canaan, où les eaux du Jourdain créent des jardins de verdure. Ils établissent leur camp de tentes et espèrent se reposer enfin quand éclate une violente dispute entre deux bergers :

– Cet agneau est à moi ! crie le premier, qui travaille pour Loth dont la stature égale maintenant celle d'Abraham.

– Et moi je te dis qu'il m'appartient ! proteste le second, au service d'Abraham.

Les deux hommes vont se jeter l'un sur l'autre pour se battre quand Abraham accourt et les sépare de sa haute taille et de ses mains puissantes.

– Je ne veux pas de querelle entre nos familles. Il est déjà difficile de survivre quand nous sommes en paix… Ne commençons pas à nous faire la guerre !

Heureusement que tout le monde respecte cet homme

juste ! Les bergers s'apaisent. Un lourd silence s'ensuit. Abraham, voyant le visage fermé de son fils adoptif, reprend la parole :

– Loth, mon cher neveu, je te considère comme mon fils, tu le sais. Si tu penses que nous devons nous séparer, choisis un chemin, j'en suivrai un autre.

– Je te prends au mot ! rétorque Loth. Je ne veux plus risquer de voir mes bêtes volées par tes bergers. Et j'en ai assez d'errer de campement en campement. Je vais m'établir avec les miens dans la cité de Sodome, près du fleuve. On la dit prospère. Nous y trouverons le repos. Et une maison à nous.

Les épaules d'Abraham s'affaissent. Il se force à répondre en chef, non en père :

– Va. Tu es libre. Fais seulement attention que la ville ne vous pervertisse pas. Les hommes y sont souvent méchants et cupides. Restez fidèles à Dieu. Vous serez toujours les bienvenus parmi nous. Quant à nous, nous resterons dans ce pays de Canaan, où il faut tirer l'eau des puits et changer de pâturage pour les bêtes. En espérant que les averses seront nombreuses et fraîches.

Les adieux sont brefs. Loth, sa femme, ses filles, leurs serviteurs, leurs bergers et leurs troupeaux se mettent en marche vers l'est, où le Jourdain arrose les cités prospères. Abraham et sa nombreuse tribu se détournent une fois de plus des villes, comme le chef du clan le fait depuis les jours anciens où il a fui Ur. Ils marchent vers la chaleur des plateaux plus pauvres, là où ils se sentent libres.

Éliézer voit bien qu'Abraham est triste. Il chemine près de lui, silencieux et présent.

Abraham parle enfin, un peu pour lui-même, un peu pour son serviteur et ami :

– Ai-je bien fait de laisser partir Loth ? demande-t-il.

– Il le fallait, tu le sais, lui répond Éliézer. Ce jeune homme aime le confort des cités.

– Oui… Et il ne m'a jamais pardonné la mort de son père. Mais il reste mon fils adoptif, même si nous nous sommes éloignés l'un de l'autre. Ah, comme j'aurais aimé être père ! Pourtant le ventre de Sarah reste plat, année après année. Je suis un homme mûr mainte-nant, ma barbe s'entremêle de fils d'argent… Sarah est stérile, et de toute façon bientôt elle ne sera plus en âge d'enfanter !

Il hésite puis ajoute :

– Sais-tu ? Le même cauchemar me poursuit depuis des années : je rêve que je lève sur un enfant un cou-teau de sacrifice ! Mais de quel enfant il s'agit, je n'en ai aucune idée.

Éliézer reste muet à cette terrible révélation. Abraham, lui, replonge dans ses pensées. Pourquoi n'a-t-il pas de descendance ? Et pourquoi ce cauchemar toujours interrompu, toujours recommencé ? Qui lui succédera à la tête de la tribu quand il mourra ? Qui saura maintenir la paix, la justice, le respect entre les gens de son clan ? Il se sent le devoir de les protéger. Tous.

Comme une réponse à ces questions, ce soir-là, s'élève la voix de l'Éternel, seulement audible pour Abraham, comme toujours :

– Lève les yeux et regarde vers le nord et le sud, l'est et l'ouest, car tout le pays que tu vois je te le donnerai, ainsi qu'aux tiens. Et je rendrai les tiens aussi nombreux que la poussière de la terre, en sorte que si l'on pouvait compter la poussière de la terre, on pourrait aussi compter les tiens.

À ces mots qui ouvrent la perspective d'une nombreuse descendance, Abraham a de nouveau le cœur empli d'espoir.

Bientôt il s'établit, lui et sa tribu, aux chênes de Mambré, et il construit là un autel à Dieu, en remerciement de cette fabuleuse promesse. Alors il entend de nouveau la voix de l'Éternel, qui lui promet une vaste récompense.

– Je ne veux pas de récompense, répond le chef vieillissant. Quelle récompense, d'ailleurs ? J'ai tous les biens que je puis désirer sur cette terre, et je ne peux les donner à personne d'autre qu'Éliézer, puisque je n'ai pas d'enfant. Ma vie est stérile.

– Où est donc ta confiance ? gronde la Voix. Je te l'ai dit : ta descendance sera nombreuse. Aussi nombreuse que les étoiles dans le ciel. Je te demande seulement un sacrifice.

À ce moment, une image zèbre l'esprit d'Abraham comme un éclair. L'image qui hante ses cauchemars depuis tant d'années. Il se voit levant le couteau sur un enfant... Mais Dieu poursuit, le libérant de cette vision terrible :

– Prends dans ton troupeau une génisse de trois ans, une chèvre de trois ans, un bélier de trois ans, une tourterelle et un pigeonneau. Tue-les, puis fends-les en deux, sauf les oiseaux. Ce sera ton offrande.

Abraham offre le sacrifice demandé. Un sillon de feu parcourt les animaux offerts, en signe d'acceptation divine. À l'aube, il s'endort auprès de Sarah, son aimée, d'un doux sommeil sans cauchemar.

CHAPITRE 6

UNE NAISSANCE

près les promesses de l'Éternel, Abraham a de nouveau observé avec espoir le ventre de Sarah, s'attendant toujours à le voir s'arrondir. Chaque fois qu'elle ouvrait la bouche, il espérait qu'elle allait lui annoncer l'heureuse nouvelle de sa grossesse. Mais cela fait dix ans maintenant que la tribu s'est installée au pays de Canaan. Sarah n'a plus l'âge d'enfanter. Comment continuer à espérer ?

Un jour, Sarah vient vers Abraham avec un air étrange. Elle lui déclare :

– Je sais combien tu désires un enfant, mon tendre époux.

Un sanglot soulève sa poitrine, mais elle respire profondément et retrouve son calme pour poursuivre :

– Aussi ai-je décidé de t'offrir ma servante Agar. Unis-toi à elle, et par elle nous aurons le bébé que nous attendons tant.

– C'est avec toi que j'aurais voulu un enfant ! proteste Abraham.

– Moi aussi, répond Sarah en le regardant droit dans les yeux. Crois-tu que je t'offre Agar de gaieté de cœur ? C'est la seule solution que j'ai trouvée, voilà tout. Et comme la coutume nous y autorise…

– Soit, répond-il. Je ferai comme tu le veux. Elle est peut-être la seule chance qu'il nous reste.

Une nuit, il rejoint donc Agar dans sa tente. Une nuit seulement.

Les soirs suivants, la servante tente d'attirer le patriarche* dans sa couche, mais il trouve toujours un prétexte pour refuser. Elle s'entête tellement qu'il finit par lui expliquer :

– Agar, je ne dormirai plus jamais près de toi. J'espère que tu porteras mon enfant, mais dans mon cœur tu ne prendras jamais la place de Sarah.

Agar s'éloigne, à la fois furieuse et triste. Ce grand homme si calme et puissant l'a toujours attirée, et elle espérait que sa jeunesse et ses charmes auraient raison de… l'autre. Mais elle rentrera peut-être en grâce quand elle sera mère ?

Trois mois plus tard, en effet, le ventre de l'Égyptienne s'est légèrement renflé. « L'étrangère attend un enfant de notre chef ! » murmure-t-on d'un bout à l'autre du camp. Sarah supporte très mal ce spectacle. Elle regrette presque l'offre faite à Abraham, tant elle se sent mordue par la jalousie. Et elle le fait lourdement sentir à son infortunée servante.

– Agar, aide-moi à laver le linge !

– Je suis trop fatiguée, Sarah.

– Agar, il faut ramasser le petit-bois pour la cuisine !

– Je suis trop fatiguée, Sarah.

– Agar, il faudrait…

Mais Agar n'a aucune envie d'être bousculée ainsi du matin au soir. Presque punie. Elle finit par se fâcher, et affronte sa maîtresse :

– N'y compte pas, Sarah. Je suis enceinte, je dois me reposer.

L'épouse d'Abraham fulmine en regardant sa servante indolente, qui somnole presque tout le jour sous un auvent de toile. Abraham, lui, assiste sans mot dire aux événements qui bouleversent sa vie : son enfant à venir, Sarah et l'Égyptienne qui se querellent cent fois par jour.

Sarah finit par exploser, en présence même d'Agar :

– Abraham, fais quelque chose ! Cette femme ne m'aide plus en rien ! Elle veut peut-être prendre ma place dans le clan, et dans ton cœur ?

Abraham soupire en observant sa mince épouse étranglée de colère, et ce ventre de servante qui abrite son enfant…

– Fais ce que bon te semble, répond-il finalement.

Alors Sarah ne se contient plus :

– Disparais de ma vue, fainéante !

Agar s'enfuit en pleurant près d'une source. Abraham ne l'a même pas défendue ! Myriam, la femme qu'Éliézer a épousée quelques années plus tôt, a observé la scène. Émue, car elle est elle-même enceinte, elle s'approche de la femme en pleurs :

– Retourne dans la tente, subis la mauvaise humeur de Sarah. Que t'importe ? Tu vas avoir un fils. Appelle-le Ismaël. Cela signifie « Dieu écoutera ».

Est-ce la voix de cette douce femme qu'a entendue Agar, ou bien Dieu a-t-il parlé à travers elle ? Que signifie ce message extraordinaire ? Reprenant courage, elle fait demi-tour et revient vers la tente de sa maîtresse.

À partir de ce jour s'établit une trêve entre Sarah et Agar. Pour les tâches quotidiennes, Sarah se fait seulement aider par Tamah, et elle demande surtout à Agar de préparer les repas. Quant à Agar, elle se montre plus souple... Abraham en soupire de soulagement. Il est capable de rétablir la paix dans les autres foyers… Mais dans le sien, il se sent le cœur plein et l'esprit vidé !

Cinq mois plus tard, des femmes s'affairent dans la tente où Agar est en train d'accoucher. Les unes apportent de l'eau, les autres des linges propres. Sarah, elle, attend dehors, immobile à côté de son époux : il est au-dessus de ses forces d'assister sa propre servante. Enfin, l'une des femmes sort et s'écrie :

– C'est un fils !

Épuisée, les traits tirés, Agar murmure : « Ismaël ». Ce petit homme pousse son premier cri, le front plissé par l'effort de la respiration. Abraham entre presque timidement dans la tente et contemple la merveille que Dieu lui accorde au seuil de sa vieillesse. Il saisit délicatement le nouveau-né et le tend à Sarah avec un sourire de bonheur : même si elle n'a pas porté l'enfant, pour lui, elle en est la mère. La seule mère possible.

Un peu plus tard, le même jour, Myriam accouche à son tour d'un garçon. Éliézer est aussi rayonnant que son maître à la vue de son premier-né. Lui également l'a attendu bien des années, quoique avec une femme plus jeune, épousée bien plus tard. Ce garçon, ils l'appellent Yohanan.

Le soir, Éliézer reste avec sa femme et son fils, dans leur tente. Abraham, lui, est parti contempler les étoiles. Dans le silence de la nuit, il rêve à ses descendants, qui seront peut-être aussi nombreux que ces points de lumière accrochés haut dans le ciel, comme Dieu le lui a promis.

Trois années ont passé. La tribu parcourt de plus petites distances, en restant toujours dans le pays de Canaan. Abraham voit moins souvent Sarah et Agar depuis la naissance d'Ismaël, tant elles sont absorbées par ce précieux enfant. Celui-ci grandit entouré de femmes, comme tous les petits enfants de la tribu. Sarah et Agar se chamaillent souvent, mais elles ne se lassent pas de caresser cette peau douce qui sent le lait et regardent grandir l'enfant avec une sorte d'avidité. Pour un peu Abraham en ressentirait une pointe de jalousie, lui qui n'approche son jeune fils que de loin en loin.

Une fin d'après-midi, alors que les bêtes et les hommes se réveillent de leur torpeur et commencent à braver la chaleur, Abraham entre dans la tente de sa femme, où il met rarement les pieds. Il veut lui parler de… quoi déjà ? Il oublie l'objet de sa visite dès qu'il perçoit dans la pénombre Ismaël seul, assis sur une peau de mouton, en train de jouer avec une poupée de bois et de chiffon. Le tout jeune garçon lève ses grands yeux sombres vers le patriarche, qui a masqué le soleil en s'encadrant dans la porte de toile grande ouverte. L'homme observe cet enfant sage. Il fait un pas, puis deux, puis trois, et se retrouve près de la peau de mouton. Il s'agenouille pour se mettre à la hauteur d'Ismaël. L'enfant saisit sa poupée et la jette loin de lui,

d'une main sûre, sans quitter l'homme du regard.
Abraham hésite :

– Que veux-tu ?

– Poupée, gazouille le petit.

– Tu veux que je te la redonne, c'est cela ? comprend
Abraham.

Il tend le bras vers l'objet et le rend à l'enfant, qui
éclate de rire et recommence aussitôt à le jeter.

Si Sarah et Agar ne veillent pas sur l'enfant ce jour-
là, c'est qu'elles aident les autres femmes à ramasser les
meilleurs joncs. À court de paniers, elles doivent en
tresser de nouveaux, et apprendre aux jeunes servantes
les gestes ancestraux. De retour de leur cueillette, elles
s'approchent de leur tente et se regardent, étonnées.
Ce lieu résonne d'un rire frais qu'elles connaissent
bien, et d'un autre, qui descend dans les graves. Que
se passe-t-il donc ?

Agar est la première à entrer dans la tente. Dès
qu'il la voit, Ismaël jette, entre deux éclats de rire :
« Maman ! » et commence à marcher vers la bonne
odeur de lait et d'amour qui émane d'elle. Sarah a
entendu. Une grande colère soulève sa poitrine.

– C'est moi qui m'occupe de cet enfant !
commence-t-elle.

Ismaël interrompt la tempête naissante. Niché dans
les bras d'Agar, il tend les mains vers Sarah, cette autre

femme qui le soigne et le cajole depuis qu'il est né, et, pour la seconde fois, il lance, triomphant : « Maman ! »

Un grand silence entoure les trois adultes. Agar repose son fils près d'Abraham, qui, les articulations douloureuses, ne s'est pas encore relevé. Ismaël recommence à jeter sa poupée au patriarche qui, sans même y penser, recommence à la lui rendre. Sarah s'accroupit à côté d'eux, le regard brillant. Un pas derrière elle, Agar fait de même.

Et là, dans le crépuscule, la femme, sa servante et l'homme gardent longtemps le visage tourné vers l'enfant, comme des papillons de nuit attirés par la lumière.

– Papa, maman, maman, gazouille Ismaël.

Il rit sous les chatouilles de Sarah, boit la tasse de lait que lui tend Agar, et ne perd pas des yeux ce vieillard dont il aimerait saisir la longue barbe blanche.

– Il faut préparer le dîner, déclare Sarah, mettant fin à la trêve.

L'activité quotidienne reprend, pressée, efficace. La maîtresse lance les ordres.

– Agar, donne à manger à Ismaël.

– Oui, maîtresse, répond la servante tout en grognant pour elle-même : Comme si je n'y avais pas songé.

– Tamah, rentre vite ces joncs, demande Sarah à son autre servante. Demain, nous tresserons des paniers. Et puis il faudra faire cuire le repas de ce soir.

Abraham s'est esquivé sous sa propre tente, où il s'isole depuis la naissance d'Ismaël. Il sourit encore des mines de son fils unique.

CHAPITRE 7

DES VOYAGEURS
INATTENDUS

Tout au long de leur enfance, Ismaël et Yohanan, le fils d'Éliézer, demeurent inséparables. Ils aiment parcourir ensemble le campement labyrinthique : le clan est devenu si grand qu'il occupe des rues et des rues de tentes. Abraham les regarde parfois jouer à cache-cache avec les autres garçons de leur âge. Quant à lui, il a renoncé à tout espoir d'avoir un fils de Sarah. Ils ont l'âge d'être grands-parents !

Certains jours, les enfants n'ont pas le temps de s'amuser : quand le clan prévoit un voyage, même bref, vers des pâturages plus verts et des puits mieux remplis, il faut une journée entière de préparatifs, et toutes les mains sont les bienvenues.

Un de ces jours très affairés, Abraham appelle son fils pour qu'il l'aide à plier le tissu des tentes de la famille. Ismaël adore être près de ce père qui se montre toujours doux avec lui. Tout en travaillant, il demande :

– Père, pourquoi vas-tu parfois prier loin des autres ?

– Le silence m'aide à me concentrer sur les beautés de la nature. Regardes-tu autour de toi, parfois ?

– Que veux-tu dire ? demande Ismaël, intrigué.

– Souvent on voit les choses sans réaliser combien elles sont extraordinaires. Tiens, cet olivier par exemple. Assieds-toi, et prends un instant pour contempler son tronc tourmenté, ses petites feuilles qui se balancent dans le vent...

– C'est vrai, reconnaît l'enfant après un silence.

– Et cet agneau noir dans le troupeau, celui qui tète sa mère.

– C'est vrai, dit encore l'enfant.

– Eh bien, continue Abraham, as-tu réalisé combien il était merveilleux que tes yeux puissent admirer cet arbre, que tes oreilles entendent le bruissement des feuilles ?

– Mais alors, remarque Ismaël, puisque tout est

si beau, pourquoi êtes-vous si tristes parfois, toi et Sarah ? Mes yeux le voient aussi…

Abraham ne sait comment dire qu'il aurait voulu un autre fils, un fils enfanté par Sarah… Il se détourne et continue à plier le tissu, laissant Ismaël décontenancé et sans réponse.

Cette nuit-là, Abraham repense à la question posée par Ismaël lorsque la voix de l'Éternel lui dit… Ce qu'elle dit est si inattendu, si incroyable, qu'Abraham, surpris, se met à rire.

« Écoute. Tu vas devenir le père de nombreuses nations. Je vais faire alliance* avec ton peuple. En signe de cette alliance, fais circoncire[1] tous les garçons et les hommes de ton clan. Dans un an, toi et Sarah aurez un fils. Et Ismaël, ton premier fils, je le bénis aussi. »

Abraham va donc avoir un fils avec Sarah, alors qu'ils sont entrés dans l'âge de la vieillesse ? Il a du mal à y croire, mais l'espoir, cette fleur toujours prête à repousser dans le cœur humain, renaît tout de même.

Le lendemain, dès que le nouveau camp est dressé quelques kilomètres plus loin, près de pâturages plus riches, le patriarche rassemble ses hommes et leur demande de se circoncire et de circoncire leurs fils.

1. *Ablation rituelle du prépuce.*

Il fait de même pour lui et pour Ismaël. Ainsi, l'alliance entre Dieu et les siens est marquée dans la chair des hommes. Jusque tard dans la nuit, tous les membres du clan partagent un grand festin.

À plusieurs reprises, des voyageurs viennent demander de l'eau et du pain à la tribu avant de continuer leur chemin ; beaucoup apportent de sombres nouvelles des villes de Sodome et Gomorrhe. Dans ces riches cités abreuvées par le Jourdain, les hommes tuent pour un oui ou pour un non. Ils sacrifient des enfants à leurs idoles, maltraitent les femmes et ferment leur porte aux étrangers, bafouant les lois de l'hospitalité. Éliézer ne peut que confirmer ces propos : il voit régulièrement de quoi ces gens sont capables quand il se rend en ville pour vendre des bêtes.

Un jour, au retour de son dernier voyage au marché de Sodome, il est sombre et abattu. À tel point qu'il se dirige directement vers sa tente, sans saluer son ami de toujours, comme s'il se sentait vidé de toute énergie. Abraham, inquiet, le rejoint aussitôt.

– As-tu bien vendu nos agneaux ?

– Oui, mais Sodome a perdu toute humanité, soupire Éliézer. Là-bas, les hommes sont mauvais, cupides, dépravés… Avec leurs enfants… Leurs parents… Je les ai vus au marché, tout n'était que cris, vols, bagarres.

Abraham est devenu grave.

– Et Loth ? Vit-il toujours là-bas ?

– Oui. Il reste enfermé dans sa demeure avec sa femme, ses filles et quelques serviteurs. J'ai voulu les ramener ici, mais ils ont refusé mon offre. « Ma vie est dans cette ville », m'a déclaré Loth.

– Comment le fils de mon frère peut-il supporter de tels spectacles ? De tels voisins ? soupire Abraham en sortant de la tente d'Éliézer.

Le patriarche est encore plongé dans ses sombres pensées quand trois voyageurs vêtus de blanc se présentent au campement, en plein midi. La chaleur est si forte que l'air vibre.

Abraham se lève et commande aux femmes :

– Apportez de l'eau et des galettes pour nos hôtes ! Et faites cuire un veau pour les restaurer !

Se tournant vers les trois inconnus, il les invite à se laver les pieds pour se rafraîchir et à s'étendre sous les arbres. Il les considère tandis qu'ils boivent l'eau fraîche que Tamah vient de tirer du puits pour étancher leur soif. Ces trois étrangers grands et bruns ont un regard si transparent qu'on peut à peine le soutenir. Abraham voit bien que ce ne sont pas des êtres comme les autres. On dirait des anges. Et quand ils ouvrent la bouche, leurs paroles solennelles sont sans appel :

– Abraham, homme hospitalier, écoute–nous : dans un an, Sarah te donnera un fils.

Un rire jaillit de l'extérieur de la tente.

– Ta femme est-elle là ? demandent-ils.

– Je croyais qu'elle se reposait à l'ombre, s'étonne Abraham.

– Pourquoi as-tu ri en entendant nos paroles ? demandent-ils à Sarah tandis que celle-ci apparaît à l'entrée.

– Je n'ai pas ri, prétend-elle, car elle craint ces hommes étranges.

– Vraiment ?

– C'est vrai, j'ai ri un peu… J'ai du mal à vous croire. Je suis une vieille femme. Comment pourrais-je donner le jour à un enfant alors que mon temps est passé ? interroge Sarah.

– Tu le peux parce que c'est la volonté de Dieu. En douterais-tu ?

Cette fois, la vieille femme garde le silence. Une lueur brille dans ses yeux baissés. Un enfant ? Vraiment ?

Les voyageurs font leurs adieux et s'éloignent du campement, escortés par Abraham, qui a tenu à les accompagner quelque temps. Ils lui disent alors, d'une seule voix, la même qu'Abraham entend quand Dieu s'adresse à lui :

– Comme tu le sais, au bord du Jourdain se trouvent

les villes de Sodome et Gomorrhe, dont les habitants sont devenus mauvais. Je vais les détruire. Bientôt elles ne seront plus qu'un atroce souvenir.

Abraham est atterré. L'Éternel a décidé de détruire deux villes entières, avec tous leurs habitants, hommes, femmes et enfants ? Tous sont-ils vraiment méchants ? Seulement dignes d'être détruits ? Il ne peut se résoudre à le croire. Il salue ses hôtes, incapable d'ajouter un mot, et rejoint le campement. Là, il va voir Éliezer et lui demande de rattraper les étrangers, et de les accompagner en son nom par égard pour eux.

Des nuages violets peignent l'occident. Au travers de leur masse, des rayons de soleil filtrent, si nets qu'on pourrait les compter. Ils touchent la terre et l'illuminent. Alors, pour la première fois, Abraham s'adresse à Dieu en réclamant justice :

– J'ai reçu des étrangers. Ils m'ont dit que Tu allais détruire Sodome et Gomorrhe…

La Voix lui répond :

– Les habitants de ces villes sont pervertis. Ils ne méritent pas de vivre.

– Seigneur, écoute-moi.

Les rayons du soleil ont disparu, la nuit est tombée presque d'un coup.

– Demande, dit la Voix.

– Ces villes sont mauvaises, je le sais bien. Mais

si elles abritaient cinquante justes, les ferais-Tu périr avec les méchants ? Qu'auraient-ils fait pour exciter Ta colère ? Ne les épargnerais-Tu pas ?

– S'il se trouve cinquante justes à Sodome et Gomorrhe, alors j'épargnerai ces villes, accepte la Voix.

Soudain, Abraham prend peur. Et s'ils n'étaient pas cinquante à résister à la folie qui les entoure ?

– Et s'ils n'étaient que quarante ?

– S'il se trouve quarante justes à Sodome et Gomorrhe, alors j'épargnerai ces villes, répond de nouveau la Voix.

Abraham doute encore. S'ils n'étaient que trente à être restés humains ? Ou vingt ? Ou dix, même ? Trois fois encore il plaide pour les justes de Sodome et Gomorrhe. Trois fois, la Voix lui accorde ce qu'il souhaite.

Abraham sourit dans sa longue barbe blanche. Sa confiance en Dieu n'a peut-être jamais été aussi grande qu'aujourd'hui : Il l'a écouté. C'est un Dieu de justice. Rien de mal ne peut arriver par Lui… Et puis comment les habitants de ces deux villes seraient-ils tous devenus mauvais ? C'est impossible !

Deux nuits plus tard, un vacarme terrible réveille tout le clan. Les femmes sortent des tentes, leurs enfants effrayés dans les bras. Les bergers tentent de calmer leurs bêtes, affolées par le fracas et par l'étrange lumière qui envahit le ciel nocturne. Des gerbes de flammes jaillissent de Sodome et Gomorrhe, si hautes qu'on les voit à l'horizon, malgré la distance. Une insoutenable odeur de soufre sature l'air et le rend presque irrespirable. Tout à coup, les deux villes s'enfoncent sous terre, aspirées par une force immense. « Il n'y avait donc aucun juste là-bas ? Et Loth ? A-t-il péri avec les autres ? » se demande Abraham, au supplice.

Éliézer apparaît au petit matin, tout poussiéreux, et raconte :

– J'ai accompagné nos hôtes jusqu'à Sodome comme tu me l'as demandé. Nous avons été accueillis par Loth avec une grande hospitalité. Mais c'est contraire aux lois de cette ville, qui interdit qu'on héberge des étrangers ! Quand la nuit est tombée, le quartier a retenti des cris de centaines d'hommes qui assaillaient la maison. Ils exigeaient que Loth leur livre ses hôtes ! Il a refusé. Les trois étrangers ont tenu la foule en respect et ont fait sortir Loth, sa femme et ses deux filles de la ville, en leur disant de se hâter et, surtout, de ne jamais se retourner. J'ai fui moi aussi.

Abraham observe les larmes qui roulent sur le visage buriné de son vieil ami, et son cœur se serre. Éliézer poursuit :

– Hélas ! Était-ce par curiosité ? Par inadvertance ? Ils étaient déjà haut sur les collines quand la femme de Loth s'est retournée pour regarder la ville en feu…

– Et… ? demande Abraham.

– Elle a été transformée en statue de sel. Du sel aussi dur que la pierre. Loth et ses filles sont finalement partis se réfugier dans la montagne. Je ne sais pas ce qu'ils vont devenir.

Pas même vingt justes… Pas même dix… Dieu l'a donc confirmé à Abraham en détruisant les villes. Quant à Loth, il était sans doute juste, autant qu'il l'a pu, là où il avait choisi de vivre.

CHAPITRE 8

APPARITION, DISPARITION

Presque neuf mois ont passé depuis qu'Abraham a appris que Sarah lui donnerait un fils dans sa vieillesse. Il en est heureux, mais une tristesse voile ses pensées : il ne sait pas où se trouve Loth, son fils adoptif, depuis qu'il s'est sauvé de Sodome. Le saura-t-il un jour ?

Dans le camp, on ne parle plus que de la grossesse de Sarah. Comment une si vieille femme peut-elle attendre un bébé ?

Le visage de la future mère est toujours aussi beau, même si maintenant le temps a marqué son front de rides. Sarah se promène entre les tentes, son ventre fièrement porté en avant, quand une bande de garnements l'apostrophent.

– Eh, grand-mère, c'est pour quand ?

Et le garçon qui a parlé se roule par terre de rire.

Sarah répond sans se fâcher :

– Mes petits, ce bébé je l'ai attendu tant d'années… Dieu m'a accordé ce bonheur tardif. Laissez-moi le savourer.

L'un d'eux va répliquer quand un garçon d'une douzaine d'années aux yeux noirs et au teint clair se précipite pour éparpiller les effrontés d'une main ferme. Sarah le remercie d'un vague signe de tête, sans même le regarder, et passe son chemin, la main toujours posée sur son ventre proéminent. Ismaël – car c'est lui – en a les larmes aux yeux. Comment celle qui l'a élevé peut-elle l'ignorer ainsi ? « Elle ne veut plus être ma mère », pense-t-il avec douleur. Et il part retrouver les jeunes gens de son âge pour surveiller les troupeaux de moutons.

Le soir, il rejoint Agar, et la regarde pétrir la pâte pour le pain. Tous deux se taisent, soucieux. La servante suggère à son fils :

– Ismaël, va aider Abraham à porter le bois, je suis sûre qu'il a besoin de toi.

Puis, comme son fils ne lui répond pas :

– Ismaël, sais-tu si ton père a assez de nourriture pour ce soir ? Il passe son temps à rêver, j'ai bien peur qu'il oublie de manger !

Ismaël se lève, mais il revient vite de la tente de son père, le dos voûté :

– Il dit qu'il n'a besoin de rien maintenant. J'ai l'impression qu'il ne me regarde plus…

Et il s'enfuit pour que sa mère ne voie pas les larmes rouler sur ses joues.

Jour après jour, Sarah s'arrondit encore davantage. Quand elle sent son enfant bouger en elle, elle attrape la main d'Abraham et la plaque sur son ventre en s'exclamant :

– Sens-tu, là ? C'est le petit pied de ton enfant ! Tiens, il change de position…

Et les voilà les yeux dans les yeux, comme au début de leur mariage, il y a si longtemps.

Vient enfin le grand moment. Sarah sourit, Sarah souffre : elle accouche, dans le bonheur et la douleur. Abraham, interdit de ce monde de femmes, fait les cent pas hors de la tente. Il s'étonne de ne pas voir Agar parmi le ballet des servantes qui vont et viennent, pressées, avec des linges propres, des récipients pleins d'eau… « Elle est malade », murmure-t-on dans le camp. Malade ? Abraham sourit. Jalouse, oui ! Mais cela lui passera. De toute façon, qu'importe ? La femme qu'il aime donne naissance à leur enfant. Enfin ! Mais tout va-t-il bien se passer ? Il respire à fond et ses épaules se détendent. Pourquoi s'inquiéterait-il ? Dieu lui a promis une nombreuse descendance. Dieu tient ses promesses. Toujours. Abraham est réchauffé par cette certitude. Il est si recueilli qu'il entend à peine le cri de victoire poussé par une servante :

– Le voici… Comme il est beau !

Abraham se précipite alors dans la tente de sa bien-aimée et voit briller son regard de vingt ans derrière ses rides de femme âgée. Elle lui désigne le paquet de linges qu'elle serre tendrement dans ses bras :

– Notre fils, Abraham. Celui que nous n'attendions plus.

Le patriarche passe un gros doigt maladroit sur la joue du nouveau-né.

Une étreinte brève et intense unit ces trois êtres. Les femmes entonnent un doux chant. Un instant Abraham croise le regard de son bébé, déjà chargé d'interrogations. Puis le père laisse l'accouchée et son nouveau-né se reposer. Il sort de la tente, fait quelques pas et gravit la haute colline qui surplombe le camp. Il lève les yeux. Y a-t-il jamais eu tant d'étoiles sur la voûte céleste ? Ont-elles jamais brillé aussi fort ? Tout à coup, une, deux, dix étoiles filantes traversent l'obscurité devant ses yeux éblouis. Elles éclatent pour lui en une fête silencieuse. Aujourd'hui est le plus beau jour de sa longue existence. Sarah, sa princesse, vient de lui donner un fils. Cette naissance est bien la preuve que Dieu marche à leurs côtés. Les flammes de joie s'éteignent une à une dans le ciel, qui s'éclaircit à l'est. Le patriarche se glisse dans sa tente pour prendre quelques heures de repos.

Ismaël, caché dans l'ombre, regarde son père sourire pour un autre. Pour un bébé de rien du tout.

– Père, murmure-t-il, sans espoir d'être entendu. Père, m'as-tu oublié ?

Non, Abraham ne l'a pas oublié, il l'aime toujours, mais il oublie de le lui montrer.

Le nouveau-né a déjà trois jours, et ces trois jours sont passés comme dans un rêve. Abraham longe le ruisseau où les femmes nettoient le linge quand il surprend une conversation animée :

– Notre maîtresse a interdit à Agar de s'approcher d'elle.

– Tu te rends compte ! Sarah la traite comme un chien !

– Comme un chien, dis-tu ?

– Pire, même. Je l'ai entendue lui hurler qu'elle ne savait ni cuire le pain, ni s'occuper des enfants, ni même allumer un bon feu… Sur un ton qui m'a fait frémir.

– Qu'est-ce qu'elle a donc ?

– C'est simple, se moque la plus expérimentée. Ismaël est le fils d'Abraham et d'Agar, tout le monde sait cela…

– Et alors ?

– Et alors… Ismaël est l'aîné, il doit donc hériter des biens de son père, qui sont immenses. Sarah protège son fils comme une lionne son lionceau.

– Cela ne l'autorise pas à être si méchante !

– Non, elle ne devrait pas. Mais que peut-on y faire ? Et Abraham qui ne voit rien…

Lorsqu'il entend ces mots, le patriarche s'éclipse. Les femmes ont raison… et elles ont tort : il a vu tout cela, mais il ne veut pas se mêler de ces histoires de femmes. « Cela finira par se calmer », soupire-t-il pour lui-même.

Le bébé a huit jours. Son regard attentif surprend tous ceux qui viennent l'admirer. La fête est prête : hommes et garçons font tourner veaux et moutons écorchés au-dessus de feux qui grésillent. Cela sent bon le rôti. Les femmes portent leurs plus belles boucles d'oreille en or et leurs plus beaux colliers. Les hommes ont revêtu des tuniques neuves.

Devant la foule amassée, Abraham élève son fils au-dessus de sa tête et le présente officiellement à l'assemblée :

– Voici Isaac, mon fils.

– Cela signifie « Il a souri », murmure une femme à un jeune homme qui s'est joint à la tribu il y a peu dc tcmps.

– Mangez, chantez en l'honneur de cet enfant, poursuit le patriarche. Aujourd'hui, nous allons le circoncire, comme Dieu l'a demandé à nous tous, les hommes de notre tribu. C'est le signe de son alliance avec nous.

La fête dure tout le jour. Quand il est bien repu, Ismaël s'approche du berceau suspendu sous un chêne et tend son index à Isaac. Le bébé le saisit et le serre fort. Pour la première fois depuis des semaines, Ismaël sourit. « Mon petit frère », murmure-t-il tendrement.

Soudain Sarah apparaît, essoufflée d'avoir couru quelques mètres, et invective celui qu'elle a si longtemps considéré comme son propre fils :

– Laisse Isaac tranquille, usurpateur. Va-t'en, et que je ne te voie plus tourner autour de lui, tu as compris ?

Un silence immédiat lui répond : une partie du camp l'a entendue. Un peu gênée, elle retourne s'asseoir auprès de son époux. Quant à Ismaël, il a disparu, suivi de près par Yohanan, le fils d'Éliézer. Tous les deux s'accroupissent au pied d'un olivier.

– Tu n'as rien fait de mal, dit doucement Yohanan.

– Je sais bien, répond Ismaël, mais…

Une ombre se projette sur les deux jeunes gens. Ismaël se retourne et découvre la haute stature de son père. Il a si peur de se faire réprimander qu'il saute sur ses pieds, prêt à se justifier.

Abraham ne lui demande rien. Il prend son grand

fils de treize ans par les épaules, et le regarde tendrement. Ismaël se redresse, rassuré. Lui aussi est le fils du patriarche. Il est même son aîné. Il a droit à son amour. Que pourrait-il craindre ?

Le soir même pourtant, des bruits de voix éclatent sous la tente d'Abraham. Sarah fulmine, les mains sur les hanches :

– Agar n'en fait qu'à sa tête ! Elle ne m'obéit plus. Et ce n'est pas la première fois. Pourtant elle est ma servante ! Quant à Ismaël… Ce vaurien ne pense qu'à devenir le chef de la tribu à ta place. Je veux que tu les renvoies tous les deux. Leur vue me rend malade.

Et elle sort en trombe, sans attendre de réponse.

Abraham est troublé par cet éclat. Il voit bien que Sarah ment. Ismaël n'a jamais rêvé de prendre le pouvoir. Et même si Agar n'est pas parfaite, elle ne mérite pas d'être jetée dans les étendues désertiques avec son fils. Seuls tous les deux, ils risquent fort de ne pas survivre à une telle épreuve. Sans compter la honte d'être chassés ! Mais ceci est une histoire de femmes. Abraham préférerait ne pas s'en mêler. Néanmoins, le patriarche sort de sa tente, passe la tête dans celle de sa femme et lui dit :

– Fais comme tu le souhaites.

Avant qu'il ait eu le temps de s'éclipser, Sarah lui jette :

– Alors dis-le-lui.

Comme elle peut être cruelle, parfois. Et comme Abraham se sent lâche…

Voici l'aube. Le camp s'éveille. Devant la tente de Sarah, Agar ranime les braises de la veille, et bientôt un feu clair monte dans l'air pâlissant. Abraham s'est approché si doucement qu'Agar sursaute en le découvrant près d'elle. Il lui déclare sans préambules :

– L'heure est venue pour toi de partir. Emmène ton fils avec toi.

Agar se jette à ses genoux et implore entre deux sanglots :

– Décide de ma mort si tu le veux, puisque je ne suis qu'une servante à tes yeux. Mais épargne ton fils. Qu'a-t-il fait pour mériter ce traitement ?

– Relève-toi, Agar, et ne crains pas. Tu vivras, et notre fils aussi.

Tandis que le vieil homme s'éloigne, courbé, comme vaincu, la femme tourne machinalement les braises de son bâton, aveuglée par l'afflux de larmes.

La nouvelle a couru d'une famille à l'autre : « Agar et Ismaël sont chassés ! » Le camp murmure, scandalisé par une telle injustice. Quant à Sarah, elle ne se montre même pas. Elle exulte, seule dans sa tente.

Abraham s'enferme dans la sienne, sombre et

silencieux. Au milieu de la matinée, son vieux complice Éliézer écarte timidement les pans de l'entrée.

– Vas-tu vraiment laisser ton propre fils marcher vers la mort ? Que va-t-il trouver loin du camp, à part des buissons où seule une chèvre dénicherait un peu de nourriture ? Je vais les aider.

– Non, Dieu y pourvoira, mon ami, répond Abraham.

Il lève la tête juste à temps pour apercevoir l'œil noir de Yohanan à l'entrée de la tente. Il répète, un sourire aux lèvres :

– Oui, Dieu y pourvoira.

Yohanan ignore comment aider Ismaël et sa mère. Quoique, en y pensant bien... Dans le désert il n'y a pas d'eau. Et sans eau, on ne peut pas survivre. Il a juste le temps d'attraper deux petites gourdes vides, puis il suit Ismaël de loin dès qu'il le voit s'éloigner vers le désert avec sa mère. Au bout de longues heures, il commence à craindre pour la vie de son ami : Agar et Ismaël se sont arrêtés. Ismaël, pâle, épuisé, se repose sous un maigre buisson d'épines qui ombre à peine son corps mince. Il aurait pu survivre au désert, mais avoir été rejeté par son père achève de saper ses forces.

Yohanan ne se montre pas. Il poursuit un peu sa route, et croise un groupe de nomades, dont il entend le chef s'exclamer :

– Regardez, là-bas, notre nouveau puits ! Voilà…
Nous pouvons maintenant traverser cette région aride
sans risquer la mort !

Et l'homme indique une direction du doigt.

Yohanan se rend au puits. Il y remplit une des deux
gourdes qu'il a apportées, y boit longuement, puis il les
remplit toutes les deux à ras bord et rejoint son ami.
Ismaël ouvre les yeux et sourit à la vision de ce garçon
avec qui il a toujours tout partagé, et qu'il pensait ne
jamais revoir. « Je rêve peut-être », pense-t-il confusé-
ment. Mais non. Yohanan lui glisse deux gourdes dans
les mains et lui explique en quelques mots où se trouve
le puits :

– Joignez-vous à la caravane de nomades, vers le
sud. Ils connaissent les points d'eau et les chemins.

Yohanan serre Ismaël à l'étouffer, puis, le tenant à
bout de bras, il le fixe longtemps. Comme pour retenir son image dans son esprit. Dans un souffle, il lui
murmure « Bonne chance » et s'enfuit vers le camp.

Lorsque Yohanan, de retour parmi les siens, se
dirige vers la tente d'Abraham, il est couvert d'une
fine pellicule de sable. Son regard vacille, mais il a le
port assuré d'un homme. Abraham déchiffre immédia-
tement son attitude : dans ces jeunes yeux, la tristesse le
dispute à une flamme de gaieté, comme si le soleil res-
plendissant perçait au travers de lourds nuages. Il sait

que son fils aîné est sauvé. Il ne pose aucune question. La réponse est au fond de lui-même : une fois de plus, Dieu a tenu parole. Une fois de plus, Abraham se dit que sa confiance est bien faible, lui qui à chaque épreuve se remet à avoir peur.

CHAPITRE 9

ISAAC, ENFANT DU RÊVE

Depuis dix ans qu'Agar et Ismaël ont quitté le camp, Abraham ne les a jamais revus. Aucun messager n'a apporté de leurs nouvelles. Mais des rumeurs circulent parmi les groupes nomades : on dit qu'ils se sont installés très loin au sud. Comment savoir si c'est vrai ? Les voyageurs colportent toutes sortes d'histoires, et entre la vérité et l'invention il n'est pas facile de démêler les fils. Abraham sent que son fils aîné est à l'abri du danger, et pourtant il éprouve une immense tristesse. Il aurait tant voulu le voir devenir un homme ! Éliézer et son fils Yohanan, eux, vont maintenant côte à côte, comme des compagnons, tandis qu'Abraham a déjà perdu Loth, son fils adoptif, puis Ismaël, son aîné. Les reverra-t-il un jour ? Heureusement, il lui reste cet enfant de dix ans, Isaac, qu'il chérit tant. Mais il parle peu avec ce garçon, qui passe encore le plus clair de son temps auprès des femmes.

La nuit, Abraham déserte souvent sa propre tente pour aller s'allonger aux côtés de Sarah. Il entend le souffle léger de sa femme, et celui encore plus ténu d'Isaac. Mais quand il s'endort, le cauchemar d'autrefois revient l'emplir de toute sa force empoisonnée. Il rêve toujours qu'il mène un jeune garçon vers le sacrifice. Dans ce rêve, le chemin grimpe sans cesse, long et pénible. Le vent, les arbres, les oiseaux sont silencieux. Abraham allonge l'enfant, lève sur lui un long couteau de sacrifice, et...

Non ! Il se réveille toujours à cet instant terrible, avec l'image insoutenable du couteau levé, du geste suspendu. Allait-il frapper ? Que signifie cette scène qui ne lui laisse aucun repos ? Dieu lui reproche-t-il d'avoir abandonné Ismaël aux dangers du désert ? Ou bien est-ce un rêve prémonitoire, signe avant-coureur d'un événement terrible ? Après cette vision, Abraham se sent si vieux, comme s'il n'avait plus vraiment d'âge. Et si fatigué.

Un matin de bonne heure, Abraham a dû crier dans

son sommeil. Quand il ouvre les yeux, Sarah est penchée sur lui et, comme autrefois, elle essuie son front brûlant avec un linge qui sent encore la fraîcheur du puits. Elle caresse du bout des doigts ce visage bruni par le soleil, où se creusent des rides aussi profondes que le lit des rivières asséchées. Un visage qu'elle aime depuis tant d'années qu'elle en a oublié le compte.

Isaac a été réveillé par le cri de son père. Assis sur sa couche, il plisse le front, effrayé. Sa mère se tourne vers lui et lui murmure des mots apaisants. Abraham reprend son souffle tandis que son cœur s'emplit d'un amour immense pour ce fils-là. Il laisse l'enfant venir vers lui et frôler sa longue barbe blanche, oublieux de sa peur.

– Tu piques ! grimace Isaac en s'amusant à faire le bébé.

– Pas quand tu caresses dans le sens du poil… Comme pour les moutons et les chiens ! répond le patriarche en entrant dans le jeu.

– Maman ne pique pas, elle ! continue Isaac. Elle a toujours été douce.

Il sent que ces paroles innocentes apaisent son père.

– Oui, la peau de ta mère est douce…

« Mais son cœur peut être dur », poursuit intérieurement Abraham, le regard perdu en lui-même.

– Te souviens-tu d'Ismaël ? demande-t-il soudain à l'enfant, tandis que Sarah se raidit imperceptiblement.

– Ismaël ? C'est qui ? interroge Isaac.

– Ton grand frère. Il est parti quand tu étais encore un bébé.

Abraham réfléchit un moment puis propose à Isaac :

– Tu es grand maintenant. Bientôt tu pourras m'aider à effectuer des tâches d'homme.

– Ouiii ! s'exclame Isaac, heureux à l'idée de pouvoir accompagner son père comme un adulte.

Le lendemain, Isaac vient voir Abraham, dont il n'a pas oublié la proposition.

– Père, puis-je t'aider ?

Le patriarche considère longuement son fils. Svelte, musclé… Dans deux ou trois étés il sera un jeune homme. Et quel regard ! Noir, sérieux, pénétrant. Comme s'il comprenait tout, ce qui est dit et ce qui ne l'est pas.

– Père ? murmure l'adolescent d'une petite voix, craignant de voir son offre refusée.

– Oui, bien sûr, j'ai besoin de tes services ! Ramasse autant de bois que tu le pourras. Ainsi le feu prendra plus vite, et les femmes pourront préparer le repas !

Isaac ramasse du petit-bois, comme son père le lui a ordonné. Il n'est pas très grand pour ses dix printemps. Il se concentre sur la tâche, son buste souple et mince se plie et se déplie au rythme de ses trouvailles, qu'il range en fagots. Quelques pas plus loin, Abraham fend de grosses bûches. Cet homme sec, de haute stature, si âgé qu'on ne sait plus quand il est né, possède encore une force surprenante. L'enfant lui fait un signe de la main. Le patriarche lui répond par un sourire qui lui réchauffe le cœur. Isaac se replonge dans sa tâche. Une brindille ici, une autre là, qu'il noue d'une solide tige de roseau, comme Abraham vient de le lui apprendre.

Quand le travail est achevé, ils vont s'asseoir l'un à côté de l'autre, face au soleil qui se couche, rouge sur l'horizon.

– C'est beau, n'est-ce pas ? murmure Isaac.

– Oui, mon fils.

– Le Dieu que tu pries, ce n'est pas le soleil, n'est-ce pas ?

– Non, mon fils.

– Ni les étoiles ?

– Pas davantage.

– Mais alors, qui est Dieu ?

– Je sais qui je suis, mais pas qui est le créateur de toutes les merveilles du monde. Je connais Sa voix, Sa puissance et Sa justice. Je ne peux rien te dire de plus.

Travailler côte à côte devient vite un rituel entre le père et le fils : dès l'aube, ils réveillent ensemble le feu familial. Ils ne se parlent pas beaucoup, mais leurs gestes se complètent, en parfaite harmonie. Puis Abraham emmène Isaac aider les bergers. Il lui apprend à rassembler les bêtes sans les effaroucher, à les ramener des points d'eau avec les autres hommes.

Quand Abraham rend la justice entre deux voisins qui se sont chamaillés pour une brebis, quand il caresse la tête d'un enfant qui passe, quand il va prier en haut de la colline, Isaac l'observe avec un amour sans bornes. Comme cet homme est bon ! De tous les êtres humains qu'il connaît, c'est le seul en qui le garçon ait entièrement confiance. Son père ne semble avoir que trois buts dans la vie : faire le bien, prendre soin de sa tribu et prier Dieu.

Un jour comme les autres, Isaac est parti garder les moutons sur un pâturage éloigné, avec des garçons de son âge. Abraham observe la nuit qui tombe sur le camp. Il s'est une fois de plus installé sur une colline, entre terre et ciel. Soudain, la Voix familière retentit en lui, profonde, pressante :

– Abraham, emmène ton fils au pays de Moriah, et offre-le-moi en sacrifice.

Abraham pâlit sous le choc. Il a l'impression d'être au bord d'un gouffre. « Est-ce le destin qui m'attendait ? » se demande-t-il, déchiré, comme si une partie de lui-même allait être anéantie. « Sacrifier le fruit de mes jours ? Dieu me le commande, et en même temps Il m'a promis une foule de descendants. Il ne peut se renier ! J'ai confiance en Lui. Je *dois* avoir confiance en Lui. Peut-être y a-t-il une raison que je n'ai pas comprise ? Chaque fois que je n'ai pas eu confiance en Dieu, en Égypte par exemple, j'ai eu tort… Aller vers la lumière absolue par le noir absolu, montrer ma confiance totale en Dieu en perdant mon fils… Comment cela est-il possible ? »

Tout à coup il s'immobilise, comme frappé par la foudre. C'est donc cela. Il reconnaît le cauchemar qui le poursuit depuis tant d'années. Ce rêve où son bras armé d'un couteau va s'abattre sur un enfant dont il n'a jamais pu distinguer le visage. Une préparation à l'inacceptable, peut-être. Maintenant, Abraham est entré dans son cauchemar, et il ne sait pas comment s'en échapper. Aucun réveil n'est possible.

CHAPITRE 10
LE SACRIFICE

Devant sa tente, Abraham se tient debout, très droit, comme pétrifié. Il regarde Sarah, qui pétrit la pâte ; Éliézer, qui soigne un agneau ; puis son fils, qui lui rend son regard. Comment Abraham pourrait-il avouer la terrible exigence divine ? Qui pourrait comprendre l'acte horrible qu'il s'apprête à commettre ? « J'ai confiance. Dieu me met encore à l'épreuve, voilà tout… se répète-t-il, pour se convaincre lui-même. Mais Il va si loin cette fois ! » Abraham est seul désormais. S'il dévoilait ce qu'il s'apprête à faire, Sarah voudrait protéger son fils, son peuple le prendrait pour un fou, Isaac se sentirait trahi de la façon la plus totale : son père, le mener au sacrifice comme s'il était un animal ! Abraham n'a qu'une solution : garder le silence. Car, s'il refuse la terrible épreuve, cela voudra dire qu'il n'a pas confiance en l'Éternel. Pas assez. Pas totalement. Pareille torture a-t-elle été déjà infligée à un être humain ? À un père ? Non.

Ils partiront à l'aube, le lendemain.

Le soleil n'est pas encore levé. Isaac dort profondément. Le long labeur de la veille pèse à peine sur ses épaules : il a aidé tout le jour à rattraper des moutons enfuis d'un enclos, il a porté un agneau épuisé, mais il pourrait faire bien plus… et si son père le lui demandait, la plus haute montagne serait aussi légère qu'un fétu de paille entre ses bras. Soudain, une chaude présence le tire de ses rêves : Abraham, debout près de lui, l'observe. D'un bond, le garçon est sur pied, prêt au travail. Ils partagent une galette et du lait de brebis qu'Éliézer, réveillé lui aussi, est allé chercher pour eux.

Le regard d'Isaac se perd au-delà des tentes et des innombrables troupeaux qui font la richesse de sa tribu, au-delà même du ciel qui pâlit à l'est. Son père hésite, et finit par jeter d'un air faussement détaché :

– Amasse autant de petit-bois que tu pourras. Nous partirons à l'aube, avec Éliézer, Yohanan, un âne, et de la nourriture pour trois journées.

– Oui, père, répond Isaac.

Il ne demande pas de détails. Mais il sent que ce matin Abraham lui a demandé quelque chose de spécial. Cette fois, le bois ne servira pas à faire cuire des galettes de pain.

Abraham aurait bien voulu s'éclipser avant que le camp ne s'éveille. Mais la sensation d'une présence lui fait lever les yeux : Sarah a le regard fixé sur le grand couteau de sacrifice que le patriarche dissimule mal dans un pan de son ample manteau. Elle semble lui demander : « Que vas-tu faire, mon aimé ? Je ne comprends pas… Je vois le bois, le feu, le couteau, mais où est l'agneau ? » Elle contemple les yeux d'Abraham, vides, pareils à ceux d'un enfant perdu. Sans un mot, il hâte le départ.

Éliézer mène un âne chargé de bois, de dattes, de fromage, de pains et d'eau. Suivent Isaac et Yohanan. Abraham marche loin derrière. Il leur a annoncé que leur voyage durerait trois jours.

Le sentier, d'abord large, se rétrécit au fur et à mesure que la petite troupe chemine en file indienne vers les sommets. Abraham est soulagé par cette solitude physique qui épouse celle de son âme. Dans le ciel bleu, quelques vautours décrivent de larges cercles autour d'eux. La nuit tombe vite, comme toujours. Éliézer prélève quelques bûches pour préparer le feu qui va les réchauffer. Abraham ne partage pas leur rapide repas. Il s'est retiré à l'écart, debout, le dos courbé, et semble plongé dans une prière ardente et désespérée.

Il revient au milieu de la nuit, croyant tous ses compagnons endormis. Isaac en profite pour chuchoter :

– Père, où se trouve l'animal à sacrifier ?

– Dieu y pourvoira, mon fils.

Aucun des deux ne prononce une parole de plus.

Au matin, Abraham s'assoupit quelques minutes, et se retrouve en plein cœur du cauchemar qui l'a hanté toute sa vie : il lève un couteau de sacrifice sur un enfant. Il baisse les yeux vers cet enfant, et cette fois il découvre son visage : c'est son propre fils ! Il comprend qu'il a hurlé quand il voit, en ouvrant les yeux, ses trois compagnons l'entourer, l'air inquiet. Ce qu'il lit dans le regard d'Éliézer le chavire : « Mon maître, mon ami, devient-il fou ? Avons-nous raison de le suivre on ne sait où ? »

Mais, comme la veille au départ du camp, une force plus puissante que la raison pousse chacun à se taire. Ou bien est-ce de la lâcheté ?

Le deuxième jour, le chemin monte encore plus abruptement. Les sandales soulèvent de la poussière, des cailloux roulent dans les ravins.

Le soir venu, Éliézer convainc Abraham d'avaler une tranche de pain et un morceau de fromage de brebis. Puis le vieil homme s'isole de nouveau, tandis que les autres contemplent le ciel piqué d'étoiles.

«J'aimerais avoir une femme, des fils et des filles quand je serai grand», rêve Isaac.

« Dieu m'a promis une descendance aussi nombreuse que les étoiles. Est-ce encore possible ? L'épreuve qu'Il m'envoie maintenant dépasse presque mes forces », songe le vieil homme.

Lorsqu'il vient s'enrouler dans sa couverture, près du feu, Isaac a une fois de plus les yeux grands ouverts. Il demande encore :

– Père, où trouverons-nous l'animal à sacrifier ? Je ne l'aperçois nulle part.

– Mon fils, Dieu y pourvoira, répond de nouveau Abraham.

Il n'y a plus rien à dire.

Cette fois, Abraham s'éveille alors que son cauchemar ne fait que commencer. Il levait à peine le couteau à la lame affûtée… Et il a eu la force d'ouvrir les yeux avant de voir ce qu'il ne peut plus supporter. Le troisième jour est là. Il n'y aura plus de rêve avant le dénouement, quel qu'il soit.

Abraham annonce à ses compagnons :

– Yohanan et Éliézer, reposez-vous là, vous l'avez

bien mérité. Isaac et moi, nous continuerons seuls le chemin.

– Mais… commence Éliézer, sans savoir qu'il va poser la même question qu'Isaac. Où est donc l'animal à sacrifier ?

– Dieu y pourvoira, mon ami, répond Abraham imperturbablement.

Il y croit à certains moments, et alors il retrouve sa sérénité. Mais à d'autres il est cisaillé par la peur et le doute. Il ajoute d'une voix indécise :

– Isaac et moi serons revenus d'ici la nuit.

Yohanan a entendu le bref échange et il ne sait quoi penser. Il obéit à un signe de son père, qui lui intime l'ordre de rester assis.

– Allez, soupire Éliézer, nous attendrons votre retour.

Abraham se tourne vers son fils, le fixe d'un regard indéchiffrable, puis lui demande :

– Isaac, peux-tu porter le bois pour le feu du sacrifice ?

– Bien sûr, père.

Isaac a les larmes aux yeux. Que dire à cet homme qui s'est muré dans le silence ?

Impassible en apparence, Abraham vérifie que le couteau se trouve toujours dans sa ceinture. Il commence à gravir la dernière portion de sentier, qui rejoint le sommet de la montagne. Sa main tremble sur son bâton de marche. Ses lèvres s'agitent silencieusement. Isaac charge le fagot sur son dos. Bientôt, le père et le fils ont disparu aux yeux d'Éliézer et de Yohanan.

Abraham s'arrête au sommet, ses cheveux blancs et sa longue barbe flottant dans l'air frais. Il dresse un sommaire autel de pierre et y dispose le bois. Pendant ce temps, Isaac observe les environs. Des rocs et quelques buissons d'épineux, rien de plus. Il n'y a donc pas d'animal pour le sacrifice ? Mais alors… Qui va être égorgé ? Il sursaute et pâlit devant l'évidence. Lui ? Qui d'autre, puisqu'il n'y a personne dans ce lieu désolé, sinon son père et lui ? Il pousse un soupir désespéré, puis serre les poings. « Puisqu'il en est ainsi, je ne pousserai pas une plainte. Je ne chercherai pas à m'enfuir. Mais pourquoi ? Pourquoi ? »

Il écrase une larme sur sa joue d'un revers de la manche, pense à son enfance si douce. À son rêve d'épouser une femme aimante, d'avoir des enfants… Sa vie va-t-elle s'arrêter ici ?

– Couche-toi sur le bois, lui demande Abraham.

Isaac s'allonge sur ce lit de rondins. Ce ne peut pas être vrai. Il va forcément se réveiller de ce cauchemar.

Abraham ligote étroitement son fils, qui reste

parfaitement immobile, comme déjà mort. Mais il ne peut supporter son regard ardent, en quête de réponse.

Abraham tend le bras pour saisir le couteau. Il contemple cette lame effilée avec laquelle il doit égorger son fils bien-aimé.

Comme dans le cauchemar qui l'a poursuivi toute sa vie, il lève lentement le bras. Mais cette fois il ne voit que trop bien l'enfant qu'il va frapper !

Comme dans son cauchemar, tout n'est que silence. Sa main levée lui semble peser d'un poids infini. Il rassemble ses forces, ferme les yeux. Oui, son bras va s'abattre.

Soudain, une force immense l'arrête net. La Voix, qui s'était tue tous ces derniers jours, s'élève enfin :

– Abraham ! Abraham !

– Me voici.

– N'étends pas la main sur le garçon et ne lui fais rien, car maintenant je sais que tu ne m'as pas refusé ton fils. Regarde ce fourré, là-bas.

Abraham lève les yeux, ct voit deux cornes qui se débattent, entortillées dans des branches hérissées d'épines.

– Va chercher ce bélier, et offre-le-moi en sacrifice, continue la Voix.

Abraham dénoue les cordes qui entravaient son fils, et s'en va, vacillant, chercher le bélier. Isaac se relève lentement en frottant ses poignets meurtris, écoutant son cœur qui bat d'un rythme disloqué. Le patriarche mène l'animal sur le tas de bois, l'immobilise avec les cordages et l'égorge d'un geste sûr.

« Ainsi, songe-t-il, ma descendance sera bien aussi nombreuse que les étoiles. Dieu y a pourvu. Mais quelle épreuve insoutenable… Mon fils, je te sacrifiais comme j'aurais sacrifié une partie de moi-même… »

Ce sont deux hommes qui redescendent de la montagne la nuit venue. Car on n'est plus un enfant après avoir vu la mort de si près. Abraham voudrait tant expliquer à son fils ce qui vient de se passer, mais c'est si difficile… Il tente quelques mots pourtant :

– Le Seigneur m'a demandé de t'offrir en sacrifice. Je Lui ai prouvé ma confiance absolue en acceptant Sa demande. J'avais l'espoir fou que cette confiance serait récompensée. Et elle l'a été, puisque ce que j'ai de plus cher au monde est vivant à mes côtés : toi…

Il soupire, et poursuit, la voix encore étranglée d'angoisse :

– J'étais prêt à me sacrifier en te sacrifiant… Mais je sentais que Dieu ne pouvait pas me demander un sacrifice humain. Et le plus terrible des sacrifices : lever la main sur toi ! J'espérais de tout mon être qu'un événement allait empêcher cette horreur ! Il ne pouvait pas en être ainsi ! Pourquoi me donner ce pays puis me demander d'agir comme les barbares qui y vivent ?

Isaac a la gorge trop nouée pour répondre. Il prend simplement la main de son père et la serre de toutes ses forces, pour se sentir un peu moins perdu. Il devine combien cette épreuve a dû être terrible pour Abraham. Autant que pour lui-même, peut-être.

Dès qu'ils reviennent au campement, Yohanan et Éliézer leur offrent du pain chaud, sans poser de questions. Leurs yeux brillent de larmes et de bonheur. Abraham et Isaac sont là, en vie, et cela leur suffit.

ÉPILOGUE

Bien des années ont passé. Sarah est morte de vieillesse, et son corps a été déposé dans une grotte choisie par Abraham.

Aujourd'hui, dans la touffeur d'un jour d'été, la tribu est de nouveau groupée devant cette même grotte. Car Abraham, à son tour, vient de rendre son dernier soupir. Le corps du patriarche va rejoindre celui de sa femme.

Isaac est maintenant un homme dans la force de l'âge. La tête baissée, il prie pour son père. Il se tient droit aux côtés de Rébecca, sa jeune épouse. Quand il lève les yeux sur elle, la douleur desserre un peu son étau et il sourit. Il la trouve si belle. Et il n'est pas le seul. Tous les hommes que compte la grave assemblée contemplent sa silhouette élancée, ses soyeuses boucles brunes, et s'ils peuvent apercevoir l'éclair de ses yeux noirs quand elle lève un instant le visage, ils s'estiment comblés. Isaac voudrait lui saisir la main, mais il est partagé entre amour et chagrin. Ce n'est pas le moment.

Yohanan s'approche alors de lui. Il est suivi d'un homme brun et grave, qui reste quelques pas en retrait. Qui est-il ? Il semble vouloir avancer et fuir en même temps…

Yohanan murmure à Isaac :

– Tu as un frère, le sais-tu ?

– Un frère ? demande Isaac, interloqué. Oui, mon père m'en a parlé il y a longtemps. Mais il a disparu alors que j'étais un bébé. Je n'en ai aucun souvenir.

L'homme sombre murmure alors :

– Isaac…

– Ismaël ? répond Isaac, encore incertain.

– J'aurais voulu te voir grandir…

– Comment as-tu su, pour notre père ?

– Je vis très loin d'ici, à des jours et des jours de voyage. Mais le déclin d'Abraham est arrivé à mes oreilles. Notre père est connu bien au-delà des rives du Jourdain, jusqu'au sud lointain où j'habite. J'aurais tant voulu le revoir… Mais j'arrive trop tard. M'acceptes-tu près de vous, le temps de cet adieu ?

– T'accepter ? répond Isaac. Mille fois, mon frère. Nos mères se sentaient en guerre, d'après ce qu'on m'a dit, et je ne sais ce que feront nos descendants. Mais moi, je suis ton frère et je le resterai toujours.

Main dans la main, les deux hommes restent immobiles l'un près de l'autre, forts, déjà presque tournés vers l'avenir. Ils ont peu à se dire... Chacun d'eux pense en silence à ses souvenirs d'enfance, à ce père qui leur a tant appris, séparément. Ils ne se reverront peut-être plus ? Qu'importe, ils se sentent frères.

NOTE DE L'AUTEUR

Les événements concernant Abraham relatés par la Bible commencent à la sortie de la ville d'Ur. Ce qui précède est une interprétation de la tradition juive.

Les personnages qui figurent dans ce roman sont tous cités dans la Bible, à l'exception de quatre que j'ai inventés pour les besoins de la narration : Edna, la mère d'Abraham, Tamah, la servante de Sarah, Myriam, la femme d'Éliézer de Damas, et leur fils, Yohanan.

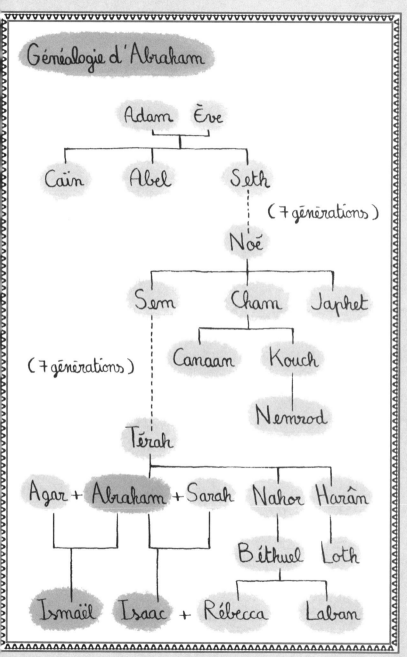

Généalogie d'Abraham

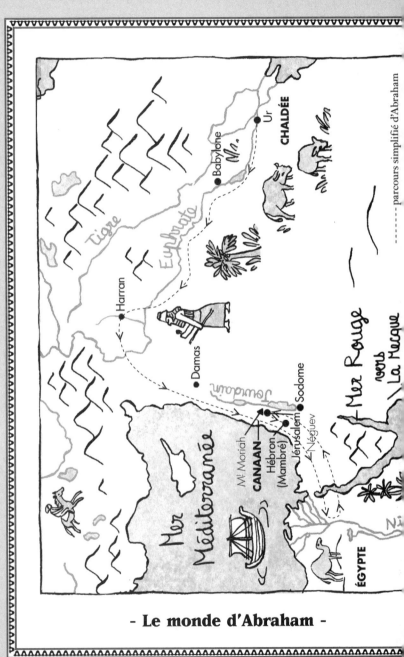

- **Le monde d'Abraham** -

POUR MIEUX CONNAÎTRE

ABRAHAM

L'ORIGINE D'ABRAHAM

La vie d'Abraham occupe les trois sections du Tanakh (Bible*
hébraïque) : *Lekh lekha* (Va [vers toi-même] !), *Vayera* ([Dieu] se
montra) et *Haye Sarah* (La vie de Sarah), qui correspondent
aux chapitres 11 à 25 de la Genèse*. Les péripéties en sont
si nombreuses que toutes n'ont pu figurer dans le roman que
vous venez de lire.

Descendant de Sem, fils de Térah, Abram (*Avram*, tel est
d'abord son nom) naît à Ur en Chaldée (Irak actuel), à la
dixième génération après Noé. C'est le premier des Patriarches.
Nomade, il parcourt le Moyen-Orient d'est en ouest, avant de
s'établir en Canaan. La tradition place son tombeau et celui de
Sarah à Hébron (actuelle Cisjordanie).

Au cours de son existence, Abraham ne change pas seulement de lieu, mais aussi de nom : Abram devient Abraham,
Avraham – nom usité en Mésopotamie antique. Il en va de
même pour son épouse, Saraï, devenue Sarah. Dieu annonce
à Abram ces modifications en même temps qu'il instaure la circoncision, symbole de l'Alliance (Genèse 17). Le sens des noms

en est également transformé : de «[le] Père [est] exalté»,
Abraham devient «Père d'une multitude de nations» (Genèse 17,
11), tandis que la belle et stérile Saraï, «ma Princesse», devient
«Princesse» de tous et mère d'Isaac, le deuxième Patriarche.

Abraham est le premier personnage de la Bible à vivre dans
un univers qui ne soit pas totalement mythique : y figurent le
nomadisme, le polythéisme («idolâtrie»); on y trouve aussi des
lieux historiquement connus. L'épopée dont il est le héros se
situerait au XVIIIe siècle avant J.-C.

Toutefois, les voyages d'Abraham n'ont pas reçu de confir-
mation historique ou archéologique. Dès lors, Abraham est-il
un personnage mythique ou historique? La réponse dépend
surtout de l'engagement religieux de chacun.

Pour aller plus loin dans la compréhension de l'épisode
biblique, consultons aussi les commentaires et les récits
(*midrashim*, dont l'ensemble forme le Midrash*), réunis dans la
littérature rabbinique* dès la chute du second Temple* (70 ap.
J.-C.), et qui complètent le Tanakh, souvent avare d'explications
et de détails.

Abraham dans la littérature juive rabbinique

Dans l'histoire d'Abraham, plusieurs éléments appellent pré-
cisions ou commentaires. Nous n'en retiendrons que les
principaux.

• **L'enfance d'Abraham :** la Bible est muette à ce sujet, c'est le Midrash qui compense ce silence. Voici les principaux éléments qu'il nous rapporte de cette enfance :

– Nemrod, petit-fils de Cham qui apparaît déjà dans l'épisode de la tour de Babel, est le tyran d'Ur. C'est un idolâtre, qui cherche en plus à détourner à son profit les honneurs dus à Dieu : c'est l'ennemi juré d'Abraham.

– Alors qu'il est encore enfant, Abraham comprend par lui-même que Dieu est unique.

– La destruction des idoles dans l'atelier de son père Térah est sans doute le plus célèbre des épisodes de la vie d'Abraham transmis par le Midrash.

• **Le sacrifice d'Isaac** (ou **« ligature »** dans le judaïsme) : nombreux sont les commentaires de cette dernière épreuve, difficilement compréhensible de la part d'un Dieu si opposé aux sacrifices humains !

– Le Midrash l'explique par l'intervention de Satan*, qui devant Dieu accuse Abraham de n'avoir pas offert de sacrifice convenable à la naissance d'Isaac. Dieu défend Abraham en disant qu'il lui offrirait même son fils s'il le lui demandait. Satan défie Dieu de le faire. Une fois le sacrifice exigé, Satan tente d'en détourner Abraham, puis Isaac, en vain. Il se venge alors en annonçant mensongèrement à Sarah que le sacrifice a eu lieu, provoquant la mort de la mère éplorée.

– D'autres expliquent qu'Isaac lui-même voulut s'offrir en sacrifice à Dieu, pour surpasser son frère Ismaël, fier d'avoir sacrifié à Dieu son prépuce lors de la circoncision. Pour la plupart des commentateurs, Isaac sait qu'il va être sacrifié, et ne cherche pas à se dérober, bien au contraire.

– Pour certains enfin, Abraham aurait mal interprété l'ordre de Dieu, qui lui demande de «faire monter» Isaac vers lui, et non de l'«immoler en holocauste» (l'holocauste, *olah* en hébreu, est formé sur le radical *al*, «monter», à cause de la fumée qui monterait au ciel).

– À partir de là, l'absolue confiance d'Abraham et d'Isaac en Dieu sera portée au bénéfice de tous les juifs, et le sacrifice du bélier rappelé par la sonnerie du shofar (instrument formé d'une corne de bélier ou d'un animal comparable) lors des fêtes du Nouvel An juif.

Abraham selon le christianisme

Abraham est d'abord l'ancêtre de Jésus, «fils de David, fils d'Abraham», comme le notent les Évangiles* (Matthieu, 1, 1). Mais surtout, père «selon la chair» (par la circoncision) des peuples sémites*, il est devenu, aux yeux des chrétiens, le «père de tous les croyants» (Paul de Tarse, *Épître aux Romains*, 4, 11), tandis que la circoncision disparaissait au profit du baptême comme signe de l'Alliance.

Abraham incarne les valeurs chrétiennes de la foi, de l'espérance et de la charité. L'hospitalité et le festin qu'il offre aux trois étrangers – trois anges : image de la Sainte-Trinité* – annoncent la Cène*, tandis que le sacrifice interrompu d'Isaac annonce le sacrifice rédempteur, mené à son terme, du Christ* – nommé d'ailleurs «agneau de Dieu».

Enfin, une notion apparue dans le judaïsme tardif s'affirme au début du christianisme : le «sein d'Abraham» est la partie du séjour des morts réservée aux Justes nés avant Jésus.

Abraham dans l'islam

Abraham (*Ibrahim* en arabe) est le prophète* par excellence de l'islam (*millat Ibrahim*, « la religion d'Ibrahim »). Son nom est cité à de très nombreuses reprises dans le Coran* (sourates 2, 14 – qui porte son nom –, 21, etc.), qui reprend à quelques différences près le contenu de Genèse 11-25, ainsi que celui de certains midrashim à propos de l'enfance d'Abraham (Nemrod, découverte raisonnée du monothéisme, destruction des idoles). Père d'Ismaël (*Ismaïl*), il est l'ancêtre de Mahomet (*Muhammad*, le fondateur de la religion musulmane), et plus généralement du peuple arabe.

Le grand pèlerinage à La Mecque (*Hajj*), l'un des cinq piliers (ou bases) de l'islam, reproduit le parcours d'Agar (*Hajar*) et d'Ismaël dans le désert. C'est à La Mecque, près de l'endroit où se trouvait la fontaine qui les sauva d'une mort certaine, que plus tard le père et le fils (Ismaël) consacrèrent la Kaâba*, centre religieux de l'islam. Le sacrifice du bélier est rappelé lors de l'Aïd el-Kébir, la plus grande fête de l'islam, qui célèbre l'exemplaire soumission d'Abraham à Dieu.

L'islam diverge des deux autres religions monothéistes en un point surtout : le sacrifice. D'abord, celui-ci se serait déroulé dans le désert, près de La Mecque, et non au mont Moriah (assimilé au mont du Temple à Jérusalem) ; ensuite, c'est Ismaël, et non Isaac, qui aurait été « offert » en sacrifice. C'est que le Coran (37, 100-113) ne nomme pas ce fils, et seuls certains savants, iraniens plutôt, considèrent qu'il s'agit d'Isaac (*Tafsir Al-Tabari*, par exemple – « Exégèse » de Tabari, 883).

Le personnage d'Abraham occupe ainsi une place prépondérante dans chacune des religions monothéistes. Qu'en est-il dans l'imaginaire des civilisations où se développèrent ces religions ?

LES VOYAGES D'ABRAHAM À TRAVERS LES ARTS

Littérature

Du **Moyen Âge** à la **période moderne**, Abraham est d'abord souvent représenté dans les «mystères», ces drames joués devant les églises pour l'édification des fidèles (Cycle de Chester, XVᵉ s.). Cette tradition se poursuit au XVIᵉ siècle. Retenons ***Abraham sacrifiant*** (1550), tragédie humaniste de Théodore de Bèze.

Depuis le **XIXᵉ siècle** jusqu'à **aujourd'hui**, Abraham est surtout un objet d'étude et de réflexion, comme dans ***Crainte et tremblement*** (1843), essai du théologien et philosophe danois Søren Kierkegaard à propos du sacrifice d'Isaac.

Arts plastiques

Les événements de l'histoire d'Abraham sont illustrés dès les premiers temps de notre ère, et pas seulement par l'art chrétien, même si judaïsme et islam répugnent à la représentation humaine. Les œuvres où figure Abraham sont si nombreuses que nous citerons seulement les épisodes les plus représentés :

– l'hospitalité d'Abraham, ou Abraham recevant les trois anges ;

– l'histoire d'Agar : son renvoi, son errance dans le désert avec Ismaël ;

– le « sein d'Abraham » : le Patriarche siège majestueuse-ment, tenant par les coins un grand linge d'où dépassent les têtes des Justes sauvés ;

– la rencontre d'Abraham avec le roi Melchisédech (épisode absent du roman) ;

– le départ pour le sacrifice, Isaac portant le fagot de bois ;

– et, bien sûr, le sacrifice d'Isaac.

Ce dernier sujet ayant été traité par d'innombrables auteurs, nous n'en retiendrons que quelques exemples.

Au **Moyen Âge,** *le Sacrifice d'Isaac* figure sur toutes sortes de supports : mosaïques (synagogue de Beth-Alpha, basilique de Ravenne, VIᵉ s.) ; chapiteaux ou ébrasements de portail sculptés (abbaye Sainte-Foy de Conques, XIᵉ s., cathédrale de Senlis, XIIᵉ s.) ; enluminures (**Psautier de Saint Louis**, XIIIᵉ s., **Pentateuque** de Poligny, v. 1300)…

À **la Renaissance** et à **la période moderne**, retenons, portant le même titre : marbre de Donatello (1418) ; un des bas-reliefs (1425-1452) qui ornent les portes de bronze du baptistère de Florence (« portes du Paradis »), par Lorenzo Ghiberti ; enlumi-nure iranienne de l'**Histoire des Prophètes** (v. 1595) ; fresque de Giambattista Tiepolo (1726) à Udine… Et surtout, parmi tant d'autres, les tableaux du Caravage (1598, 1601) et de Rembrandt (1634).

Enfin, au **XXᵉ siècle**, citons les œuvres peintes de Marc Chagall (1931, 1960) ou de Salvador Dali (1964).

Le moment le plus souvent représenté est celui où l'ange interrompt le geste d'Abraham. Un bélier figure généralement dans un coin du tableau, ou au pied des groupes sculptés.

Musique

Quelques œuvres musicales font référence à Abraham, tout particulièrement au sacrifice d'Isaac :

– *Histoire d'Abraham et Isaac*, oratorio de Giacomo Carissimi (XVIIe s.) ;

– *Abraham and Isaac*, cantique-opéra de Benjamin Britten (1952), texte adapté du mystère du Cycle de Chester ;

– *Abraham et Isaac*, ballade sacrée pour baryton et orchestre, d'Igor Stravinsky (1962) ;

– « **Story of Isaac** », chanson de Leonard Cohen (1969).

Toutes ces œuvres montrent l'extraordinaire vitalité du personnage Abraham. Mais les différentes religions n'en ont pas toujours la même vision, et de la méditation religieuse à la réflexion philosophique, en passant par la représentation artistique, il y a au moins autant de divergences. Que pouvons-nous retenir d'Abraham ?

ABRAHAM, L'AMI DE DIEU, LE PÈRE DES HOMMES

L'homme de Dieu

Abraham est d'abord et avant tout l'«inventeur du monothéisme», même s'il reste à Moïse à approfondir et à codifier la religion.

Pour les juifs, il est l'ancêtre des Israélites, qui sont les enfants de Jacob-Israël, ce dernier étant le fils d'Isaac et le petit-fils d'Abraham. Pour les chrétiens, il est le «père des croyants, circoncis et incirconcis». Pour les musulmans, il est le père des «vrais croyants» (*muslim*). Prophète pour les juifs et les musulmans, il est patriarche pour les juifs et les chrétiens.

Ami de Dieu, il témoigne d'une foi totale (prêt à offrir à Dieu, sans broncher, l'enfant qu'Il lui demande), et pourtant il est parvenu à cette foi par la raison (dit le Midrash, suivi par le Coran) : c'est un patient travail de réflexion et de déduction qui l'a amené à la découverte de Dieu.

Sa proximité avec l'Éternel est telle qu'il n'hésite pas à l'interpeller pour sauver des hommes, ne pouvant se résoudre à voir disparaître tous les habitants de Sodome et Gomorrhe, comme avait disparu toute l'humanité sous le Déluge*. Abraham est la compassion incarnée, et c'est aussi un négociateur obstiné, car c'est un vrai marchandage que nous décrit alors la Bible.

Il faut certes du courage pour plaider auprès de Dieu, et Abraham n'en manque pas : il le montre continuellement, au long des épreuves qu'il traverse, sans jamais reculer.

Abraham est aussi un nomade exemplaire, modèle d'hospitalité et de générosité.

Que de qualités! Abraham, la perfection même? Pourtant…

Des ombres au portrait

Pourtant, Abraham agit parfois d'une façon surprenante pour un Juste!

• Les mensonges d'Abraham :

Nous le voyons mentir devant Pharaon à propos de Sarah, pour protéger sa propre vie, sans craindre de mettre son épouse en danger. Comment justifier un tel écart? Le Midrash s'y attache pourtant : la beauté de Sarah est si éblouissante qu'Abraham s'emploie par tous les moyens à la cacher aux yeux ennemis. En vain !

• Le renvoi d'Agar et d'Ismaël :

Plus troublante encore, l'attitude du patriarche (et de Sarah) vis-à-vis d'Agar et d'Ismaël. Certes, dans la Bible, ce n'est pas de gaieté de cœur qu'Abraham les chasse dans le désert. Mais qu'est devenue sa compassion tant vantée ? Il semble céder bien vite à une Sarah qui, dans cet épisode, a tout d'une mégère. Heureusement, l'intervention divine vient à point rassurer l'homme tiraillé entre son épouse et son fils aîné. Il n'empêche, le besoin de justifier ce passage est grand. Certains midrashim soutiennent que c'est la méchanceté d'Ismaël qui explique son bannissement ; d'autres au contraire évoquent Abraham rendant visite à son premier fils une fois qu'il est marié : les ponts ne sont pas coupés ; certains assurent même que Ketoura, qu'Abraham épouse après la mort de Sarah, est… Agar, sous un autre nom. Ainsi est justifié après coup le geste moralement contestable.

Pour les chrétiens, le renvoi d'Agar, c'est la préfiguration du renvoi de la Synagogue*, Sarah représentant l'Église* victorieuse. Quant au Coran, il montre Ismaël consacrant avec son père, à La Mecque, la fameuse Kaâba. Tout ce qui précède n'est-il pas alors justifié ?

• Le sacrifice d'Isaac :

Dernière ombre de ce portrait, et non des moindres,

le sacrifice d'Isaac est, selon certains, celui d'Abraham. En effet, ce dernier, en perdant son fils «unique», dit Dieu dans le Tanakh, perd tout. Et cette perte est d'une grande violence (Rembrandt le montre particulièrement bien.)

Mais Abraham ne perd-il pas aussi l'idée de Dieu qu'il avait jusque-là? Comment un Dieu qui n'a aucun trait commun avec les «idoles» qui réclament des sacrifices humains peut-il en demander à son tour?

Malgré les justifications du Midrash, l'ombre persiste... hormis pour ceux qui estiment que seule l'obéissance absolue est signe d'une vraie foi, supérieure aux lois de la morale. On retrouve tous ces questionnements chez S. Kierkegaard.

Par ailleurs, sur le plan historique, on sait que le sacrifice du premier-né était répandu entre autres dans l'aire culturelle sémite (à Carthage, par exemple). S'il y a une chose sur laquelle tout le monde est d'accord, c'est que ce sacrifice interrompu proclame la fin définitive des sacrifices humains, au moins dans le cadre du monothéisme.

Abraham toujours actuel

Il semble qu'Abraham connaisse, de nos jours, un regain d'intérêt. Son nom apparaît dans de nombreux ouvrages récents. Sans doute parce que plusieurs traits du personnage trouvent un écho dans l'actualité.

D'abord, Abraham est l'archétype de l'exilé. Donc du migrant. Difficile de ne pas penser aux grands déplacements de population qui affolent la planète aujourd'hui.

Surtout, c'est Abraham – père d'Ismaël et d'Isaac, ancêtres

de deux des religions monothéistes – qu'invoquent les hommes de bonne volonté qui souhaitent la paix entre les frères ennemis qui s'affrontent à travers le monde.

* * *

Ainsi, l'histoire d'Abraham, réelle ou fictive, garde tout son sens dans l'univers actuel. Elle continue à nous faire réfléchir sur des questions qui concernent tant les individus que les sociétés : les migrations, les rivalités entre les hommes et les femmes, entre les peuples, la valeur de l'obéissance... Des interrogations auxquelles nous n'apportons pas tous les mêmes réponses. Mais dès lors que chacun d'entre nous est prêt à entendre la réponse de l'autre, n'est-ce pas justement un gage de richesse?

LEXIQUE

Alliance : « contrat » passé entre Yahvé et le peuple d'Israël par l'intermédiaire d'Abraham, d'Isaac et de Jacob (les Patriarches), puis renouvelé avec Moïse (le prophète qui fit sortir ce peuple d'esclavage). Cette alliance est matérialisée dans le judaïsme par la circoncision de chaque enfant mâle au huitième jour de sa vie (pratique instituée par Abraham, le premier Patriarche).

Selon les chrétiens, cette alliance n'est que la première. En effet ils ont noué, eux, une « nouvelle alliance » avec Dieu, en suivant la doctrine de Jésus, son fils et son Messie. Cette alliance est matérialisée par le baptême.

Bible : livre sacré du judaïsme et du christianisme, nommé d'après le grec *biblia*, « les livres ».

La partie la plus ancienne est la **Bible hébraïque** ou **Tanakh**, Ta-Na-Kh étant l'acronyme des trois parties qui la composent : Torah (la Loi), Neviim (les Prophètes) et Ketouvim (les Écrits). Selon les juifs, la Torah a été écrite par Moïse, les autres textes étant plus tardifs. Selon les travaux les plus récents de la critique, le texte a été essentiellement compilé, à partir de matériaux plus anciens, au VIIe siècle avant J.-C., et sa mise en forme a été achevée au IVe siècle de notre ère. La langue utilisée est l'hébreu, avec quelques passages en araméen (langue administrative de l'Empire perse après le VIe s. av. J.-C.).

Au IIe siècle avant J.-C. a vu le jour, à l'usage des Juifs d'Alexandrie, une traduction grecque, dite Bible des Septante, qui présente quelques différences avec le Tanakh. C'est cette traduction qui est devenue l'**Ancien** ou **Premier Testament** catholique et orthodoxe. Les protestants, eux, ont adopté la Bible hébraïque.

À cet Ancien ou Premier Testament est venu s'ajouter pour les seuls chrétiens le **Nouveau Testament**, qui relate l'avènement de Jésus-Christ. Il contient les quatre Évangiles, les Actes des Apôtres, les Épîtres et l'Apocalypse de Jean (composés en grec aux Ier-IIe s. de notre ère), et a été définitivement fixé au Ve siècle.

Cet ensemble a été diffusé dans le monde romain grâce à la Vulgate, traduction en latin établie à partir de l'hébreu et du grec par Jérôme de Stridon entre 382 et 405. C'est la version officielle de l'Église catholique.

Cène : en latin, « repas ». Désigne le dernier repas du Christ avec ses disciples, au cours duquel Jésus a annoncé qu'il serait livré aux autorités. C'est alors qu'il a institué l'Eucharistie. Ce nom désigne aussi les œuvres d'art ayant pour sujet ce repas.

Christ : du grec *christos*, « enduit », « oint » qui traduit l'hébreu *mashiah*, transcrit par « Messie ». Le mot hébreu désigne d'abord le grand prêtre consacré par une onction (avec une huile elle-même consacrée) ; les rois d'Israël reçurent également l'onction, ainsi que les prophètes. Selon le judaïsme, le Messie, issu de la lignée de David, amènera une ère de paix et de bonheur, un monde nouveau. Les chrétiens sont ceux qui ont reconnu en Jésus le Messie, le Christ attendu, au contraire des juifs, qui l'espèrent toujours.

Coran : livre saint de l'islam. Il regroupe les paroles de Dieu (*Allah*) révélées au prophète de l'islam, Mahomet (*Muhammad*), par l'intermédiaire de l'archange Gabriel, au tout début du VIIᵉ siècle. Le Coran est divisé en 114 chapitres nommés « sourates ».

Déluge : dans la Bible, inondation universelle née de la volonté divine, qui suscita des pluies ininterrompues durant quarante jours et quarante nuits, conjuguées au débordement des sources. Ainsi fut anéantie la presque totalité du genre humain, en punition de ses innombrables crimes.

Dieu : unique et universel selon les trois religions monothéistes, judaïsme, christianisme, islam. Dans la Bible hébraïque, il est désigné par un *tétragramme* (« quatre lettres », en grec) transcrit YHWH, et prononcé (avec des voycllcs) Jéhovah ou Yahvé par les chrétiens. Pour les juifs en revanche, le caractère sacré du tétragramme interdit de le prononcer, et on le remplace à la lecture par différents noms ou qualificatifs : le Seigneur, l'Éternel, etc.

Le polythéisme, au contraire, reconnaît plusieurs dieux, chacun ayant son propre champ d'action et ses attributs.

Église : dérivé du grec *ecclésia*, « assemblée de citoyens ». Communauté des fidèles chrétiens, organisée hiérarchiquement. Désigne aussi (sans majuscule initiale) l'édifice dans lequel se réunissent les fidèles pour exercer leur culte.

Évangile (« la bonne nouvelle » en grec) : on désigne par ce nom les livres qui rapportent l'enseignement de Jésus, qui annonçait l'avènement du Royaume céleste. Les Évangiles auraient été écrits par les apôtres eux-mêmes (compagnons de Jésus et propagateurs de la nouvelle religion). Mais la critique biblique estime qu'ils ont été rédigés plus tard, entre 70 et 110 de notre ère (et remaniés entre 135 et 150).

Genèse : ou *Berechit* (« Au commencement »), premier des cinq livres de la Torah. C'est dans la Genèse que sont racontées la création du monde, la création de l'homme, la destruction par le Déluge, l'histoire d'Abraham et de ses descendants jusqu'à Moïse.

Idole : image ou statue représentant une divinité, et adorée comme telle ; « faux dieu » selon la Bible. On lui fait offrandes et sacrifices (éventuellement humains). Ses adorateurs sont des idolâtres, qui pratiquent l'idolâtrie.

Kaâba : construction en forme de cube, aux murs noirs, située au milieu de la Mosquée sacrée, à La Mecque, en Arabie saoudite. Lieu sacré de l'islam, c'est vers elle que se tournent les musulmans du monde entier pour faire leurs prières.

Midrash : commentaires oraux du Tanakh, mis par écrit dans le Talmud et différents autres traités dans la littérature rabbinique.

Patriarche : chef de lignée, ancêtre. Ainsi nomme-t-on tout particulièrement les personnages à qui Dieu a annoncé puis renouvelé son alliance, à savoir Abraham, Isaac son fils et Jacob-Israël, leur fils et petit-fils, tous trois ancêtres du peuple juif.

Prophète, prophétie : le prophète est celui qui comprend la volonté divine, et peut donc la transmettre au reste de la population. La prophétie est l'expression de cette volonté.

Rabbinique [littérature] : les rabbins sont les docteurs de la Loi juive. Après la destruction du Temple, c'est leur enseignement qui est devenu, avec le Tanakh, le socle de la religion juive dite judaïsme rabbinique. Cet enseignement, d'abord oral (il se poursuit aujourd'hui encore), est au fil du temps fixé par écrit dans divers traités, les plus anciens étant réunis dans le Talmud. Les commentaires expriment des points de vue différents, parfois divergents ou même contradictoires. Ces commentaires peuvent aussi s'accompagner d'anecdotes ou de digressions qui servent aussi bien à illustrer le propos qu'à réveiller l'intérêt des fidèles.

Sacrifice : offrande à Dieu d'un animal qu'on tue en son honneur. Sauf dans le cas de l'holocauste, la chair cuite est consommée par le sacrifiant, sa famille et les sacrificateurs. On offre un sacrifice pour trois raisons : en signe de soumission à Dieu, d'action de grâces (de remerciement) ou de repentir pour une faute commise involontairement. Le sacrifice humain, pratiqué autrefois dans certaines religions, est totalement interdit dans les religions monothéistes.

Satan : une des créatures (anges et/ou démons) qui assistent Dieu, selon le judaïsme. C'est l'accusateur des hommes devant Dieu (livre de Job), puis le tentateur, l'esprit du mal. Il est devenu, pour le christianisme, le Diable (traduction en latin du grec *diabolos*, « qui désunit, calomniateur »).

Sémite : nom d'un groupe de populations du nord de l'Afrique et du Proche et Moyen-Orient. Ces populations parlent des langues parentes (hébreu, arabe, syriaque, araméen…).

Synagogue : en grec, « assemblée » ; traduit l'hébreu *Beit Knesset*. C'est un lieu de culte juif, distinct du Temple, où les hommes se réunissent pour prier ; c'est également un lieu d'enseignement et d'étude. Au singulier général avec une majuscule initiale, désigne la communauté des fidèles juifs, le judaïsme.

Temple : désigne pour les juifs le Temple de Jérusalem. Pendant longtemps, les Juifs transportaient avec eux l'arche d'Alliance, signe de la présence de Dieu à leurs côtés. C'est le roi Salomon (Xe s. av. J.-C.) qui fit construire le premier Temple à Jérusalem pour y abriter l'Arche. Là avaient lieu les offrandes et, sur l'esplanade, les sacrifices. Le premier Temple fut détruit en 587 avant J.-C. par Nabuchodonosor II. À la fin de l'Exil, un second Temple fut rebâti (520-515 av. J.-C.). Mais en 70 après J.-C., celui-ci fut à nouveau rasé par le général romain Titus, cette fois définitivement.

Trinité (Sainte-) : doctrine propre au christianisme, selon laquelle le Dieu unique du monothéisme s'exprime sous trois aspects : le Père (l'Éternel de la Bible hébraïque), le Fils (la Parole divine, incarnée en Jésus-Christ) et le Saint-Esprit (force invisible et agissante, émanant de Dieu).

L'AUTEUR
Sylvie **Baussier**

J'écris pour les jeunes depuis une quinzaine d'années, après avoir été éditrice d'encyclopédies grand public : j'adore apprendre, et faire connaître. Logiquement, j'ai donc commencé par écrire des ouvrages documentaires. Et puis, de plus en plus, j'ai ressenti la nécessité intérieure de raconter des histoires, et je me suis lancée avec un grand bonheur. Que ce soit sous forme de documentaires ou de fictions, je souhaite transmettre aux enfants ma fascination pour les mythologies, ces histoires qui sont aux sources de toutes les grandes, et la valeur de l'humanisme.

Abraham, parmi les personnages bibliques, rassemble ces deux pôles. Cette figure est l'ancêtre des trois religions monothéistes, et d'une certaine façon elle les rassemble. Malgré les apparences, Abraham est d'une humanité terrible, que sa foi met sans cesse à l'épreuve. J'espère que ce roman pourra donner une idée de ce qu'il représente pour les cultures du monde actuel.

Du même auteur :

ROMANS

Le Sourire de la guerre, coll. « Court métrage », Oskar, 2012.

Condamnée à écrire, coécrit avec Pascale Perrier, Oskar, 2012.

Japon touché au cœur - Fukushima, coécrit avec Pascale Perrier, Oskar, 2011.

La Course au pôle Sud : Amundsen et Scott, Oskar, 2011.

Tchernobyl, bienvenue en enfer, coécrit avec Pascale Perrier, Oskar, 2011.

La Fabuleuse Histoire de l'empire du Ghana, ill. Dialiba Konaté, Seuil, 2010.

Henry Dunant, père de l'action humanitaire, Oskar, 2009.

DOCUMENTAIRES

Les Religions d'hier et d'aujourd'hui, coll. « C ton monde », Milan, 2011.

La Grèce ancienne, ill. Claire Gandini, Milan, 2010.

Mythologies du monde entier, coll. « Imagia », Fleurus, 2010.

TABLE DES MATIÈRES

DANS LA MÊME COLLECTION

MIXTE
Papier issu de
sources responsables
FSC® C022030

N° éditeur : 10217523– Dépôt légal : août 2012
Imprimé juillet 2015 par La Tipografica Varese Srl (21100 Varese, Italie)